Jocher, Coelest.

Du schoenes gruenes Alpenland

Sitten, Sagen, schnurrige Geschichten und Volkslieder

Jocher, Coelestin

Du schoenes gruenes Alpenland

Sitten, Sagen, schnurrige Geschichten und Volkslieder

Inktank publishing, 2018

www.inktank-publishing.com

ISBN/EAN: 9783750102354

All rights reserved

Du schönes
grünes Alpenland!

Sitten, Sagen, schnurrige Geschichten
und Volkslieder.

Von

Cölestin Zocher.

Innsbruck.

Im Commissions = Verlag
der Wagner'schen Universitäts = Buchhandlung.
1898.

1. Theil:
Sitten, Sagen und schnurrige Geschichten.

Google

Vorrede.

„Du schönes, grünes Alpenland!“ So nennt sich das vorliegende Büchlein Wieso ich dazu kam, über das schöne Alpenland — die herrliche Steiermark — zu schreiben? Ganz einfach deshalb, weil ich auf meinen Wanderungen auch des öfteren in diese schöne Provinz kam, wo ich Berg und Thal durchstreifte, die Reize der Natur und das anziehende Volksleben kennen lernte.

Hier sah ich die mit ewigem Schnee und glitzerndem Eise bedeckten Hochalpen die Gegend zieren, hier wilde, öde und zerrissene Berggebiete drohen, wo nur ab und zu des Jägers kühner Tritt zu vernehmen, oder des verwogenen Alpinisten Schritt zu hören ist, — und dort wiederum sah ich der üppig grünen Thäler, der schön bewaldeten niederen Berge so viele, wo die Sanftheit und Lieblichkeit der Natur prangt, und dort sah ich auch der milden Gegenden so manche, wo die liebe Sonne mit ihren heißen Strahlen die Erde küßt und sangesfrohe Menschen heiter hausen!

VI

Und erst das Leben und Getriebe des Volkes! Welch eine Fülle von Mannigfaltigkeit bot es dem neugierigen Wanderer! Gerade in den fernsten Thälern war Gelegenheit, allerlei sonderbare Sitten und Sagen kennen zu lernen und schnurrige Geschichten, melodiöse Lieder und klangvolle Jodler zu hören.

Auch die alten Burgen, die ja im Zauberkreis der Volkssage keine geringe Rolle spielen, übten mit ihrer Romantik auf mich eine besondere Anziehungskraft aus. Wie so mancher Reisende fragte ich mich, wie denn das Felsennest entstanden sein mag, wen es beherbergte und wie's da zugieng?

Was Wunder also, wenn ich die Natur schilderte, wenn ich Sitte und abergläubische Meinung, Sage und Lied sammelte und wenn ich, geschichtliche Quellen über die Burgen benützend, mancherlei mir besonders interessant dünkende, sagenhaft umwobene Episoden aus der Ritterzeit entnahm?

Abgesehen von jenen Partien, in denen die Geschichte eine Rolle spielt, habe ich den Stoff selbst an den betreffenden Orten gesammelt, direct an der ewig frisch sprudelnden Quelle des Volksmundes schöpfend. Natürlich wird in meinem Werkchen keine erschöpfende Behandlung, sondern eben nur eine kleine Blüthenlese deutscher Art und Sitte, poesieumwobener Sage und klangvollen Volksgesanges in der schönen, grünen Steiermark geboten.

Die Anordnung des Stoffes im prosaischen Theile erfolgte im ganzen und großen nach der Reihenfolge der Landschaften von Nord nach Süd, so dass also Sitte und Sage derselben Gegend neben einander zu stehen kommen.

Auch bezüglich der Volkslieder muss ich hier im besonderen einige Bemerkungen machen. Zumeist nahm ich aus der von mir gemachten Sammlung in dem Büchlein solche auf, aus welchen der gesunde, derbe Volkswitz so recht scharf hervorblitzt, oder wo Alm= und Jägerleben beschrieben werden. Ferner sei erwähnt, dass ich einige Partien der Lieder aus dem Volksmunde verstümmelt erhielt, und dass ich deshalb hie und da genöthigt war, selbst die Lücken — freilich möglichst sinngemäß — auszufüllen. Andererseits aber musste ich an so manchen Stellen Ungehöriges weglassen. Die Sichtung geschah mit peinlicher Sorgfalt, und muss ich bei dieser Gelegenheit des k. k. Professors und Doctors Josef Pommer*), welcher derzeit Vorstand des deutschen Volksgesangvereines in Wien und ein ausgezeichneter Kenner des deutschen Volksliedes ist, dankbar gedenken, denn er gab mir betreffs der von mir gesammelten Lieder so manche beherzigungswerte Winke.

---

*) Siehe auch seine Werke im Verlage des deutschen Volksgesangvereins, namentlich die: „60 fränkischen Volkslieder."

VIII

Blätternd nun in meinem Werkchen dürftest Du, schöne Leserin, geehrter Leser, so manchen Ausdruck finden, der Dir zu viel nach der gewöhnlichen Um=gangssprache schmeckt. Du mußt aber bedenken, daß Du in dem Büchlein keine Salonlöwen vor ͧ ͘ ͘ hast, die mit Glacehandschuhen erscheinen und in ge=schraubten Floskeln sprechen, sondern, daß kernige Gestalten aus dem deutschen Landvolke der Berge vor Dir stehen, Gestalten, die eben reden „wie ihnen der Schnabel gewachsen ist" — oder Du mußt be=denken, daß es knorrige, derbe Ritter sind, die hier auftreten, Ritter, die kurz angebunden sind und, wenn sie getreten werden, in ihrer Manier gleich mit dem Schwerte dreinfahren.

Nun wandre, Büchlein, frisch und froh hinaus in die schöne, grüne Welt und sieh zu, daß du dir ein Plätzchen beim lieben, deutschen Volke eroberst!

Und damit Gott befohlen!

Villach, im September 1897.

Der Verfasser.

Inhalt.

1. Theil.

			Seite
1.	Cap.	Mariazell	1
2.	„	Ins grüne Salzathal	10
3.	„	Die Frauenmauer	17
4.	„	Am todten Mann	23
5.	„	Der Schatz am Kreuze	27
6.	„	Wie's Veitlkreuz entstand	31
7.	„	Das Feuer auf dem Akogl	35
8.	„	's Geistern auf der Waldalpe	39
9.	„	Der Schatz an der Brücke	46
10.	„	Nochmals der Spitzhütl	51
11.	„	Das Rafflmandel	55
12.	„	Der hl. Georg. Die Fuchsgeigerlhütte. Kerzenmandl	59
13.	„	Wie's in der Palfau aussieht und zugeht	62
14.	„	Bräuche und abergläubische Meinungen in der Palfau	69
15.	„	Was Brauch ist nach Geburt eines Kindes	75
16.	„	Auf der Hochzeit	79
17.	„	Samsonumzug. Todtenbahrziehen. Stöhrgehen	86
18.	„	Die Rettung des Verbrechers	95

			Seite
19. Cap.	Der Zauberer vom Stolzenalpl	. . . .	104
20.	„ Das unheimliche Haus. Der letzte Gefangene		109
21.	„ Chalons, die Frankenburg	. . . . . .	118
22.	„ Die alte Stadt Judenburg	. . . . .	133
23.	„ Eine Verschwörung	. . . .	138
24.	„ Wie's einem Minnesänger ergieng	. . .	151
25.	„ Frohnleiten. Volksbräuche u. Aberglauben		170
26.	„ Ruine Pfannberg und ihre Schätze	. . .	179
27.	„ Das merkwürdige Kloster	. . . . . .	189
28.	„ Eine tapfere Gräfin	. . . .	197
29.	„ Der Montforter und seine Witwe	. . .	206
30.	„ Am Rabenstein	. . . .	210
31.	„ Die schöne Prinzessin	. . . .	216
32.	„ Unglückswerber	. . . .	221
33.	„ Der bestrafte Halter. Der Mann mit dem Rasenziegel	. . . .	228
34.	„ Gefundene Grabesruh. Ein sonderbarer Hase		233
35.	„ Der geschlichtete Erbstreit	. . . . . .	238
36.	„ Das Lurloch	. . . .	242
37.	„ Der Schatz am Schöckl	. . . . . .	257
38.	„ Beim Jungfern-Sprung	. . . .	266
39.	„ Die blauen Ritter	. . . .	275

2. Theil.

1. Das Hirtenspiel von Frauenburg	. . . . . .	283
2. Almlieder. Die Almfahrt	. . . .	290
Die schlimme Schwägerin	. . . .	295
3. Jägerlieder. 's Gamslied	. . . . . .	298
Hiesllied	. . . .	299
Wildschützklage	. . . .	300
Der lustige Jäger	. . . .	301

	Seite
4. Liebes- und humoristische Lieder. 's Abendspat	302
Beim Fensterln	303
Die pfiffige Köchin	304
's Stoanberger Bäuerl	305
's Ebelbacher Lied	308
5. Schnadahüpfln aus Mirnitz	311
6. Obermurthaler G'stanzl	317
7. G'sangl von der Murauer Gegend	319
8. Tanzlieder	322

1. Mariazell.

Eine der schönsten
Gegenden von
Steiermark, ja von
Oesterreich ist Maria=
zell, das sich eines
großartigen von Jahr zu Jahr steigernden Fremden=

1

zuflusses zu erfreuen hat. Mariazell verdankt seine
Berühmtheit dem Umstande, daß es Wallfahrtsort
ist. Doch würde man fehl gehen, wenn man annehmen
möchte, daß hier nur Wallfahrer zusammenströmen;
im Gegentheil ist der Ort auch Zielpunkt vieler Ver=
gnügungsreisender und Ausflügler, die daselbst des
Merkwürdigen und Schönen genug finden.

Mariazells Ursprung ist auf das wunderthätige
Gnadenbild zurückzuführen. Fünf Mönche aus dem
uralten Benedictinerstifte St. Lambrecht waren die
ersten Ansiedler, Mönche, die im Auftrage ihres Abtes
die wilde Gegend durch Ausrodung der Wälder und
Unterweisung der zerstreuten Bewohner im Christen=
thume der Cultur zuführen sollten. Eines Tages
schnitzte einer der Söhne des hl. Benedictus wieder
an einem Muttergottesbilde und hatte seine helle Freude
daran, das Bild der Vollendung immer mehr ent=
gegenschreiten zu sehen. Seine Arbeit wurde belohnt,
denn die Madonna erzeigte in dem endlich fertig=
gestellten Schnitzwerke reichliche Gnaden. Die Wunder=
kraft des Bildes lockte immer mehr Leute an, und
es bildete sich um die einsame Zelle des Mönches
am Fuße der Bürgeralpe bald eine kleine Ansiedlung.
Dies geschah im Jahre 1157. Da sich hier bald Wunder
auf Wunder häufte, so erlangte der Ort schnell einen
weiten Ruf, so daß sogar der Markgraf Heinrich von
Mähren fromgläubigen Sinnes hierherzog und an
Stelle der Mönchszelle im Jahre 1200 die heutige
schöne Gnadenkapelle und das erste Gotteshaus er=

16

baute und zwar zum Danke für die wunderbare Heilung
von langjähriger Gicht. Später, 1363 wurde dies
Heiligthum von Ludwig von Ungarn, von dem auch
das jetzige Gnadenbild stammt, erweitert; er baute
auch den Mittelthurm und das große herrlich gothische
Portal. Die Kreuzigung Christi, Darstelluugen aus
der Geschichte der Kirche, Preissprüche auf die
Himmelskönigin und Aufzeichnungen wunderbarer
Heilungen schmücken diesen großartigen Eingang.
Tritt man ins Innere, so ist man geradezu über=
rascht von der Großartigkeit und Pracht der Kirche,
deren Dunkel den Eindruck nur noch erhöht.

Stuccatur ziert in überaus reicher Fülle die
Gewölbe, während man in der Mitte der Kirche die
Gnadenkapelle erblickt, die im Silber= und Kerzen=
glanze wunderbar erstrahlt. Altar und Gitter sind
aus purem Silber, die Gnadenstatue aber, der Haupt=
anziehungspunkt, ist aus Holz. Weit hinter dieser
Kapelle liegt der mächtige Hochaltar, den Fischer
von Erlach, der geniale Meister, aus Marmor er=
baute. Den Tabernakel bildet ein Ebenholzkreuz, das
auf einer silbernen Erdkugel steht, während die drei
göttlichen Personen in Menschengröße dargestellt
sind. Interessant ist ein Gang auf den hohen Galerien,
welche wie die Kirche mit einer großartigen Menge
von Bildern, besonders aber mit Darstellungen von
Heilungen, Votivgeschenken, eingerahmten Dank=
sagungen, Krücken und Schuhen von Geheilten und
dergleichen bedeckt sind. Von hier steigt man dann

1*

auf den hohen Thurm, von dem sich eine prächtige
Aussicht bietet. Einige große Glocken schweben zu
Häupten des Besuchers. Die größte im Gewichte von
5779 Kilo wird im Sommer täglich um 7 Uhr früh,
an Festtagen und, wenn die Wiener einziehen, ge=
läutet. Nicht zu versäumen ist die Schatzkammer,
welche große Kostbarkeiten von ungeahntem Werthe
enthält. Da findet man Votivgegenstände: Perl=
schnüre, Ringe, Kreuze und Halsketten; hier die irdischen
Ueberreste des Papstes Eleutherius, dort den Lorbeer=
kranz der Josefine Gallmaier, den sie vor ihrer Ab=
reise nach Amerika als Weihegabe niederlegte, weiter
Prachtgeschenke von Carl III., von Montecuculi, der
Kaiserin Elisabeth, von der Kaiserin Eleonore aus
Frankreich, eine 18 Pfund schwere Monstranze im
Werthe von etwa 40.000 fl., ungarische Dukaten von
einer Opernsängerin, Spenden von einem Fürsten
Obrenovitsch und Grafen Hackelberg, eine schöne Ampel
von Kaiser Ferdinand III., weiters die Ueberreste
des Bischofes Cyrill von Alexandrien, Mordwaffen
wegen vereitelten Mordes, Rosenkränze, Medaillen,
Marmorreliefbilder, einen Altar von Maria Theresia
aus dem Jahre 1769, köstliche Silberstatuen vom
Grafen Apponyi, Kelche von Emmerich Esterhazy,
ein Spiegelbild der Madonna vom Grafen Nadasdy
aus dem Jahre 1697, ferner ein Bild aus Steinen,
gefertigt von einem Verbrecher, den Hausaltar vom
Könige Mathias Corvinus, massiv goldene Kelche
mit kostbaren Edelsteinen bedeckt, Münzen, ein Gnaden=

bild von reinem Silber und eine uralte Monstranze aus Gold und Bergkrystall, kurz auserwählte Kostbarkeiten, von denen hier nur eine kleine Auswahl aufgezählt ist. Man ersieht daraus, wie ehedem alles: Könige und Fürsten, Künstler und gewöhnliche Sterbliche wetteiferten, der hehren Madonna zu Ehren Schätze zu opfern und wie sie ihre Dankbarkeit für erhaltene Gnaden und wieder geschenkte Gesundheit bewiesen.

Nun betrachten wir einmal die Wallfahrten, die hieher unternommen werden. Wie ich hörte, soll die Anzahl der jährlich zu Fuße hieher kommenden Fremden über 100.000 betragen. Aus allen Ecken des Reiches, ja sogar aus dem Auslande pilgern helle Scharen zu dem berühmten Wallfahrtsorte, um am Gnadenthrone der Himmelskönigin Hilfe aus leiblichen und geistigen Nöthen zu erlangen. Mit Fahne, Musik, allerhand Symbolen und unter Gesängen wallt man aus weiter Ferne mit schwerem Gepäcke und unter großen Beschwerden zu Fuße hieher. Oft dauert der Weg hin und zurück wochenlang. Insonders die nördlichen Länder Böhmen, Mähren und Niederösterreich liefern viele Wallfahrer, deren gewöhnlicher Weg über St. Pölten, Lilienfeld und Annaberg geht, eine auch landschaftlich schöne Tour, die nicht minder von Vergnügungsreisenden stark in Anspruch genommen ist. Diese Route nach der schönen, grünen Steiermark verdient in der That den lebhaften Besuch, der ihr jahraus jahrein zutheil wird. Inter=

essant wird's auf diesem Wege erst von Türnitz an durch
den sog. Türnitzgraben, eine schluchtartige Thalenge,
deren Wände oft jäh zerrissen abfallen und einen wild-
romantischen Anblick bieten. Vom Annaberge genießt
man von ziemlicher Höhe aus eine wunderschöne
Aussicht auf die zu Füßen liegenden Thäler und auf
die von frischem Grün bedeckten Berghöhen. Herrlich
ist der Blick auf den bläulich schimmernden sagen-
umwobenen Oetscher, der sich besonders nach einem
Regen schön ausnimmt, wenn er bald zwischen dem
zerrissenen Gewölk sichtbar wird und bald dahinter
verschwindet. Auch der weitere Weg über Wiener
Brückl und Mitterbach bietet viel des Schönen, bis
endlich das Ziel erreicht ist. Unter den Wallern bemerken wir im Frühjahre, wo die Erntezeit noch
nicht drängt, besonders viele Slovaken, die als treue
Söhne der katholischen Kirche, wenn thunlich, jedes
Jahr nach dem steierischen Pilgerorte kommen. In
ihren originellen Nationalcostümen, die Männer in
ihren weißen Mänteln und die Frauen in ihrer
malerischen Tracht, ziehen sie, lauter kräftige, von
Gesundheit strotzende und oft auch schöne Gestalten,
fromme Lieder singend dahin. Jede Person trägt
auf ihrem Rücken einen gewaltigen Bündel, in dem
sich nothwendige und überflüssige Reisebedürfnisse für
eine durchschnittlich 3=wöchentliche Tour befinden. Der
Opfermuth und die Genügsamkeit dieser Wallfahrer
sind bewundernswert. Wenn's über steile Anhöhen geht,
so nach dem Annaberge, so legen sie sich noch Steine

ins Gepäck, ihr Werk verdienstlicher zu machen. Im
Gegensatze zu den Slovaken pilgern die böhmischen
Wallfahrer schon bedeutend praktischer, indem sie
zur Entlastung ihrer Personen Wägen mitführen,
worauf Gepäck und Proviant, der wohl manchem
in der Hitze verdirbt, mitgeführt wird. Am bequemsten
machen sich's aber die Pilger aus Niederösterreich
und Steiermark, die, weil sie ja auch nicht so weit
haben, entweder gar kein oder doch sehr wenig Ge=
päck mitführen. Am allercommodesten aber wallen
die Wiener, indem sie per Bahn nach Lilienfeld oder
Kernhof und von hier mit Stellwagen weiterfahren,
eventuell auch bis ans Ziel zu Fuße gehen. In
Mariazell wird dann ihnen zu Ehren, wenn's eine
größere Schar ist, wie schon erwähnt, die große
Glocke geläutet. Größere Wallfahrtszüge lassen sich
von Priestern begleiten; stets aber ist bei jeder Schar
ein erfahrener Führer, ein Kreuz= oder Fahnenträger.
Viele Wallfahrer führen sogar eine Musikkapelle mit und
lassen durch weißgekleidete Mädchen den Zug eröffnen.
In Zell angelangt werden jene Wallfahrer, die es
wünschen, von der Ortsgeistlichkeit und Fahnenträgern,
sowie unter Glockengeläut eingeholt, so daß hier an
den meisten Tagen besonders vor Festtagen das Beten,
Singen und Läuten kaum verstummt. Der Einzug in die
Kirche ist der denkbar feierlichste; er findet unter
Kerzenschein statt, worauf man vor der Gnaden=
kapelle den ersten Halt macht, um sodann in den
geräumigen Hallen des Gotteshauses mehreremale

umzuziehen. Abends findet gewöhnlich durch die Procession ein Lichterumzug statt. So manche der Wallfahrer lassen es sich auch nicht nehmen, zur Kirche über die vielen Stufen auf ihren Knieen hinaufzurutschen. Dasselbe geschieht dann auch innerhalb der geweihten Stätte.

Unter diesen Umständen gestaltet sich das Leben und Treiben in Mariazell zu einem sehr bewegten, jedes Haus ist eine Fremdenherberge und jeder Hausbesitzer in gewissem Sinne ein Wirt; Fuhrwerk und Geschäftsleben floriert, und alles verdient. Bei der Kirche haben eine Menge von Verkäufern ihre Buden errichtet, wo tausenderlei Sachen, insonderheit Devotionalien, Photographien, Kleinwaren und Andenken aller Art feilgeboten werden. Diese Buden bilden für sich eine kleine Niederlassung und geben dem Orte sein merkwürdiges Gepräge.

Etwas dem Orte Eigenthümliches sei noch erwähnt, nämlich der Umstand, daß täglich um 11 Uhr vormittags das Aveglöcklein geläutet wird zum Andenken an die Türkenbelagerung von anno 1683. Der Anführer der muselmännischen Horden hatte nämlich feierlichst verkünden lassen, daß er Mariazell, welches stark befestigt war, noch bevor die Glocken 12 Uhr geläutet haben würden, erobern und sich das Muttergottesgnadenbild holen werde. Daraufhin erfolgte ein erbitterter Sturm von Seite der Türken, die Steirer kämpften tapfer, doch die Gefahr rückte immer näher. In diesem Augenblicke höchſter Noth rettete eine Liſt die Vertheidiger. Es war gegen 11 Uhr vormittags, als man, um die Türken zu täuſchen, mit allen Glocken zu läuten anfieng. Dies verwirrte die Belagerer, welche ſich vermeſſen hatten, noch vor dem Aveläuten den Ort zu erobern, um ſo mehr, als ſie, wie die Chronik erzählt, plötzlich große Waſſermaſſen vor ſich ſahen. So verbreitete ſich allenthalben Furcht und Schrecken in den türkiſchen Reihen, die bald vollſtändig ge= ſchlagen wurden und flohen.

2. Ins grüne Salzathal.

Gar romantisch ist eine Wanderung von Mariazell über den „Kastenriegel" nach Wildalpen, auf
welcher Tour liebliche Thäler mit wildem Hoch-

gebirge angenehm abwechseln. Bei Wegscheid, nicht weit vom Wallfahrtsorte, sieht man auf einer Höhe einige gar seltsame Felsgebilde. Darnach fragend, erhielt ich von den Landleuten die bereitwillige Aus= kunft, daß dies die „Drei Spielmänner" seien. Damit verhält sich's, wie mir erzählt wurde, folgender= maßen: Es war Weihnachtsabend, die liebliche, fröh= liche Zeit gekommen. Jung und Alt freute sich unter dem strahlenden Tannenbaume, an dem das Kripplein mit dem zarten Gotteskindlein, mit Joseph und Maria stand. Die Kinder jauchzten vor Lust und beguckten mit leuchtenden Augen die niedlichen Geschenke, während die Alten in der Freude des Festes und in der Lust der Kinder jung wurden. So näherte sich die 12te Stunde immer mehr, und alles rüstete sich, in guter altgewohnter Weise durch Schnee und Eis, durch Wind und Kälte zur frohen Christmette ins freundliche Kirchlein zu eilen. Nur drüben in einem Wirthshause ging's wüst zu. Zwei rohe Gesellen saßen mit dem Wirt am Tische und vertrieben sich die Zeit mit lärmendem Spiel, das hehren Abendes nicht achtend. Da fuhr ein Windstoß an die Fenster, daß die Scheiben klirrten.

„Ist das aber ein Hundewetter, als ob alle Teixl los wären," brummte einer der Gäste.

„Sei froh, daß d' hinter dem Ofen sitz'st," meinte der Wirt.

Kaum hatte dieser geendet, als an der Thüre geklopft wurde. Der Wirt öffnete, und herein trat der allen nur zu gut bekannte Fichtenhans, ein gerader, biederer Hubenbesitzer, der oft, wenn er etwas bei anderen nicht in der Ordnung sah, mit tadelnden und mahnenden Worten eingriff.

„Aha, da sitzt's also und spielt's wie die Heiden! Laßt's das bleib'n und geht's lieber mit in die Mett'n, 's ist schon die höchste Zeit!" rief Hans den Anwesenden zu.

Diese brachen in ein höhnisches Gelächter aus.

„Scher dich zum Kuckuck mit deinem Gekrächz'!" schimpfte dann der eine, „schwarze Toni" zubenannte Spieler.

„Mag er reden, was er will, er wird mit seinem G'schrei kein' Hund hinter dem Ofen hervorlock'n!" meinte der zweite Spieler, der auf den Namen „Quastelsepp" hörte.

„Laß deine Mett'n Mett'n sein, Hans, und bleib lieber bei uns in der warmen Stub'n beim süß'n Grog," riet der Wirt, dem Fichtenhans eine Schale von diesem Getränke einschenkend und hinreichend.

„Die Straf' wird euch g'wiß noch treff'n!" sprach Hans entrüstet und prophetischen Tones, den Grog zurückweisend.

„Der werden wir schon ausweich'n, sieh nur zu, daß dich nix trifft," höhnte der Toni weiter.

Auch der Wirt blieb mit seinen losen Bemer= kungen hinter seinen Genossen nicht zurück.

„Ich sag's euch noch amal, laßt's das Spiel'n und geht's zur Mett'n, daß euch nit an Unglück trifft," warnte und mahnte Hans nochmals, sich zum Gehen wendend.

Vergebens, seine ernsten Worte forderten die müsten Gesellen nur zu umso größerem Spotte her= aus, worauf der gutmeinende Warner sich entfernte und dem Kirchlein zueilte, dessen Lichter man schon von weitem glänzen sah. Die Spieler setzten die unterbrochene Unterhaltung weiter fort, tranken ein GlasGrog ums andere, fluchten da bei wie die Schweden, lärmten und schimpften wie die Heiden und stimmten schließlich derbe, zotige Lieder an. Da schlug's auf einmal 12 Uhr, die Geisterstunde. Ein fürchterlicher Windstoß, wie man ihn noch nicht gehört, machte das Haus in seinen Fugen erbeben. Die drei Gesellen erbleichten, meinte man doch nicht anders, als es sei ein Erdbeben entstanden. Kaum war man zu Worte gekommen, als auch schon ein zweiter Stoß erdröhnte, welcher die drei wie Strohwische zur Erde riß, so daß sie vor Todesangst zitterten, un= fähig ein Wort zu reden. Ein dritter Stoß, das Haus stürzte krachend zusammen, während ein schreck= licher Wirbel die unglücklichen Spieler hinauf auf den Berg trug, wo sie zu Stein verwandelt noch heute, wenn der heilige Abend kommt, fluchen und spielen zum abschreckenden Beispiele für andere. Das Haus aber, wo das Unglück die Drei überfiel, war und blieb verschwunden, so daß bleicher Schrecken den Fichtenhans und die andern Dorfgenossen erfaßte.

Bei den 3 Spielmännern soll sich auch ein Loch im Felsen befinden, und sollen nach der Volks= meinung diejenigen, welche hindurch sehen, immer in der Richtung nach Mariazell kommen, auch wenn sie ein anderes Ziel hätten.

Von Wegscheid gelangt man durch herrlichen Waldesduft und schönes Grün steil hinan zum „Kastenriegel," was so viel wie einen Felsriegel zwischen zwei Kästen oder Thälern bedeuten soll. Diese Gegend ist äußerst romantisch und der Aus= blick von der Höhe des Riegels ein sehr imposanter. Links dehnt sich die kahle Wand des Hochschwab, während unten zu Füßen das schmale üppige Thal hinläuft, eingesäumt von hochstarrenden und wild= zerrissenen Bergen, zu welchen jähe, gefährliche Touristensteige hinanführen.

Nun steigen wir vom Kastenriegel weiter ins Thal und kommen bald in die „vordere," dann in die „mittlere" und schließlich in die „hintere Hölle". Der Wanderer gelangt also aus den Höllen fast nicht heraus, doch lockt oben in luftiger Höhe als Trost die „Himmelswand," zu der hinanzusteigen es dem armen Erdenpilger wohl viel Schweiß und Mühe kostet. „Hölle" heißen diese Partieen wohl deshalb, weil sie tiefe Felskessel und enge, fürchterliche Schluchten bilden, die von wildzerrissenen Berg= wänden eingesäumt sind.

Endlich kommen wir gottlob aus den unheim= lichen Höllen heraus ins breiter werdende Thal, wo

uns wieder ungemessenes Himmelslicht umflutet.
Wir finden in der Gegend — wie auch sonst im
steirischen Oberlande — viele sogenannte „Studenten=
herbergen," wo der in die Ferien fahrende Musen=
sohn, dessen Sinn eben so leicht ist wie Cassa und
Gepäck, für wenige „Kniffe" ein gutes Nachtmahl,
Herberge und Frühstück findet. Jeder akademische
Bürger, der eine Alpenvereins = Legitimation auf=
weist, kann dieser Wohlthat ermäßigter Preise theil=
haftig werden und übernimmt dagegen nur die Pflicht,
über seine diesfalls gemachten Erfahrungen dem
Alpenvereine Bericht zu erstatten.

Wir sind in Weichselboden, einer Holzknecht=
niederlassung, angelangt. Golden lacht die liebe Sonne,
die Salza rauscht durchs grüne duftige Thal, die
Vögel singen frohe Lieder unter luftigen Laubkronen
und — Schützenauers freundliches Gasthaus lockt
zum Eintritte und Kosten des schäumenden Stoffes.
Frisch gestärkt geht's dann weiter längs der wild
brausenden Salza, deren Wasser ein so wunderbares,
krystallklares Grün zeigt, daß man am Boden jedes
Steinchen zählen und die bunt gesprenkelten Forellen
dahinschnellen sehen kann. Durch einen finsteren
Tunell führt die Straße vorwärts. Ein tosender
Wasserfall, der „Kläfferbrunnen" schäumt Silber=
fluten in breiten Absätzen hernieder, hinter Gebüsch
hie und da durchschimmernd, drüben droht eine
zerrissene, kahle Felshöhe gegen den strahlenden
Himmel, und dort oben auf der schönen grünen Alm

grasen Herden von Kühen, Schafen und Ziegen, deren Almglocken in lieblich=trautem Klange herunter= tönen. Es ist eine prächtige Gegend, eine Perle des steierischen Oberlandes, wo der Auerhahn lustig balzt, die „Gams" auf spitzen Felsen auslugt und in die Luft schnüffelt, wo des „Jagers" Büchse lustig knallt, wo man so fröhliche „Gsangl" singt, so schneidige Jodler hört, und so muntere, schöne Almerinnen sieht. Wer kann sich da verwundern, wenn der Volks= dichter in seiner Begeisterung singt:

„Mein Steiermark, mein Vaterland,
Du bist halt gar so schön,
Man trifft wohl g'wiß koa schöner's an,
Wie weit man a mog geh'n.
Und auf die Berg und auf der Olm
Is erst das wahre Leb'n,
Es kann wohl auf der ganzen Welt
Koan lustigers net geb'n."

Und wer würde nicht fröhlich beistimmen, wenn Thassilo Weymayer so sinnig und innig dichtet:

„O Gott, erhalt mei Steiermark
In Frieden und in Ruah
Und unsern lieb'n Kaiser a,
Den guat'n Herrn dazua!
Gib, daß er in sein' ganz'n Reich
So treue Herzen hat,
Damit er a kann lusti sein
In seiner Kaiserstadt!"

3. Die Frauenmauer.

Das Volksleben in den Alpen, das des Anziehen=
den und Eigenthümlichen so viel bietet, ist be=
sonders in engen, einsamen Thälern interessant. So

2

findet man namentlich auch im Salzathale manches
Eigenartige, hier, wo die dichten Wälder, die engen,
finstern Schluchten, der brausende Fluß, die jähen
Berge, kurz die wildromantische Natur auf Gemüth und
Stimmung des Volkes so sehr einwirken und ihm
einen oft phantastischen, ja poetischen Sinn verleihen,
wie er bei den prosaischen Bewohnern des Flach=
landes gar nicht zu finden ist. Dies zeigt sich be=
sonders bei den vielfachen Volkssagen und den aber=
gläubischen Meinungen, die uns so manche Blicke in
die Volksseele gestatten. Im Salzathale und der Um=
gebung hatte ich Gelegenheit, verschiedene schöne
Sagen kennen zu lernen, die hier der Reihe nach
Platz finden sollen.

Bei dem Dorfe Palfau liegt oberhalb des Schul=
hauses am Gamsstein die sogenannte Frauenmauer.
Eines Abends trieb ein junger, kecker Schafhirt von
der „Tafern am Rinn" seine eben nicht große Herde
heim, als er zu der Frauenmauer kam, von der ein
kleines Brünnlein floß. Geschäftig drängten sich die
Schafe, um das frische Wasser zu trinken. Da auf
einmal sah der Schäfer drei große, weiße Frauen von
schöner Gestalt vor sich, wie aus der Erde entsprungen.

„Willst Du, Kleiner, mir nicht Dein jüngstes
Lämmlein überlassen? Ich werde dir's gewiß reich=
lich lohnen, wenn du nur alles befolgst, was ich
dir befehlen werde," sprach die hübscheste unter ihnen
zum Knaben, der über die Erscheinung so erstaunt

und über die Schönheit der Frau so sinnverwirrt war,
daß er gar kein Wort herausbringen konnte.

Die schönen Frauen nahmen des Schäfers Schweigen
wohl als Einverständnis und öffneten im Nu
mit einem Zauberstabe die Felswand, worauf sich in
einer Höhle ein prächtiges Schloß zeigte, vor dessen
goldglänzendem Thore nun Hirt und Schäflein standen.
Flugs kam ein Diener herbei und führte den sprach=
losen Knaben ins Schloß, dessen Wände wie Kristall
funkelten. Man war nicht lange gegangen, als der
Führer eine Thüre öffnete, durch die es in einen
herrlichen Saal gieng, wo die drei Frauen, nunmehr
ganz roth gekleidet, saßen, ohne auch nur ein Sterbens=
wörtchen zu sprechen. Auf der schönen Tafel vor
ihnen stand in einer goldenen Schüssel ein gebra=
tenes Lämmlein. Da wie auf ein gegebenes Zeichen
löste sich das Schweigen, und jene Frau, die den
Knaben zuerst angesprochen hatte, nahm wieder das
Wort.

„Nun greif zu, mein Lieber, und iß, doch gib mir
ja acht, daß Du kein Bein verletzest oder darauf
beißest," sagte sie zu dem Schäfer, der wie im Traume
da stand, in freundlichem, zum Herzen gehenden Tone.

Der Knabe ließ sich zum Essen nicht zweimal
laden, er setzte sich also zum Tische und griff wacker
zu, denn er hatte von den Bergen einen redlichen
Hunger mitgebracht. Zwar fühlte er sich in der vor=
nehmen Frauengesellschaft und in dem glänzenden
Palaste nicht recht heimisch, doch das gute Essen

2*

schmeckte ihm über alle Maßen. Soweit wäre also
alles in Ordnung gewesen, wenn er nicht in seiner
Unachtsamkeit beim Eifer des Mahles plötzlich in
ein Knöchlein, das er abnagte, gebissen hätte. In
diesem Momente krachte der Berg in allen Fugen,
der Hirt ward ohnmächtig und als er erwachte,
fand er sich wieder vor der Frauenmauer, vor welcher
er erst vor kurzem seine Herde getränkt hatte. Alle
Schäflein, auch das jüngste sah er um sich herum,
so dass er glaubte, geträumt zu haben. Er wischte
sich die Augen aus, fuhr sich über die Stirne und
trieb heim. Doch da fiel's ihm auf einmal auf,
dass gerade das jüngste Lämmchen, das früher noch
ganz gesund war, mit Mühe und Noth weiterhumpelte.
Freilich besann er sich, dass er im geheimnisvollen
Schlosse gerade auf ein Knöchlein dieses von den
Frauen gebratenen Lämmleins gebissen, wodurch
ihm das Hinken erklärt ward. Auf dem Wege nach
Hause musste er an die wunderbaren Frauen denken,
an ihre liebliche Schönheit, an das Knöchlein und
sein jüngstes Schäflein. War er schon jetzt in
grenzenlosem Staunen befangen, so ward seine Verwunderung noch größer, als man ihm, daheim angelangt, es verwehrte, die Schafe in den ihm wohl-
bekannten Stall zu treiben, und als er lauter stock-
fremde Gesichter um sich sah.

„Was willst denn, närrischer Bua, mit den
Schafen? Die g'hör'n ja nit daher, hast dich halt
g'irrt," meinte man verwundert.

„Ja kennt's mich denn nit mehr, oder habt's vergessen, daß ich der Rinntafern=Schafhalter bin? Hab' ja erst vor acht Tag die Schaf' auf b' Alm 'trieb'n, und das bissl Schlafen, das mir heut passiert is, werb's mir wohl verzeihn," entgegnete der Schäfer, der seine Rinntafern, vor deren Stall er nun stand, so genau wie seine Schäflein kannte.

Schon sammelten sich viele Leute neugierig um den Buben, den niemand kannte und über dessen Bemühen, die Schafherde anzubringen, man sich höchlichst verwunderte. Da schlich ein altes Mütter= lein herbei, das endlich das sonderbare Räthsel löste.

„Ja mein Gott, er ist's wirklich!" rief sie er= staunt aus.

„Wer ist's, wen meint's denn eigentlich?" frugen die Neugierigen.

„So laßt's mich doch ausreden. Meine Groß= mutter, Gott hab' sie selig, hat uns Kindern oft derzöhlt, wie amal der Schafhalter von der Rinn= tafern nit mehr nach Hauf' 'kommen is, und daß ihn g'wiß die Bergfrauen verzaubert hätten."

„Nit möglich!" unterbrach sie einer.

„Und doch is so. Noch heut' sieht ma die Höhl'n um die Frau'nmauer, in Brunnreith, auf der Berg= baueralm und Einsiedlerwies'. Ma heißt's die Wetter= löcher, und wer ein' Stein einiwirft und kein gut's G'wiss'n hat, der macht a schwer's Wetter. Und im Winter geht a Lah'n obi. So is a g'scheh'n, wie zwei Bub'n ins Einsiedlerloch Steine g'worf'n hab'n.

Denn glei brauf hat a Luftlahn*) unt'n a Kaisch'n wegg'riss'n."

So sprach das alte Mütterlein, und alle rissen vor Staunen über das Wunderbare den Mund auf. So war also der Hirt in dem Zauberschlosse, wo ihm der Aufenthalt nur kurz gedünkt, weit über 100 Jahre geblieben, wodurch es erklärlich ward, daß ihn niemand weder im Dorfe, noch in der Tafernrinn mehr kannte.

---

*) Lawine.

4. Am todten Mann.

Am linken Salza-Ufer und zwar am Fuße des
Afogels nennt man eine Stelle: „am todten
Mann." Ehedem begleitete den Wanderer auf der sog.
Dreimarkter Straße an einem bestimten Punkte ein

gespensterhafter Mann ohne Kopf. Er gieng immer nur 10—12 Schritte mit, worauf er wieder zurück- kehrte und an der Stelle, woher er gekommen, ver- schwand. Besonders jenen erschien er des Nachts mit Vorliebe, die auf sündigen Pfaden wandelten, und erschreckte sie nicht wenig. Die ersten Bewohner der Gegend waren Holzknechte, von denen sich regel- mäßig 10—12 zusammenthaten und unter einem „Paßvorsteher" oder Vorarbeiter eine sogenannte „Paß" bildeten. Am Akoglwald befand sich für die Hammerwerke ein Holzschlag, den 12 Holzknechte zur Abstockung übernahmen. Und wie's eben geht, war auch hier gerade Einer der flinkste, schneidigste und arbeitsamste Bursch, dem alles glückte und den, da er voller Leben war, jeder gern hatte. Da ver- schwand plötzlich eines Tags der Franzl, jener ge- schickte Holzknecht, ohne daß die Leute gewußt hätten, wohin er gekommen war. So vergiengen Jahre, und der Verschwundene kam aus dem Gedächtnisse der Leute, die andere Sorgen hatten, als sich um einen plötzlich Verschollenen lange die Köpfe zu zerbrechen.

Doch kam auch hier der schlichte Spruch zur Anwendung:

„Hüte Dich vor Uebelthaten,
Feld und Wald kann Dich verrathen,
Hoch auf Bergen, tief im Thal,
Gottes Aug' ist überall!"

Denn als an einem Freitage die Knechte nach Hause giengen, setzte man sich an eine frisch sprudelnde

Quelle, den Durst zu stillen. Da man ohne Trink=
gefäß war, so machte man kurzen Proceß und schöpfte
mit dem Hute. In der Unterhaltung kam man auch
auf den vermißten Franzl zu sprechen. Da rann
ein Knöchelchen in den Hut des wasserschöpfenden
Paßvorstehers unserer Holzknechte. Einer nach dem
anderen nahm's und betrachtete es neugierig. Schließ=
lich meinte man, es könne nach der Gestalt zu schließen
nicht von einem Wilde, sondern müsse eher von einem
Menschen sein. Als der Aelteste der Knechte es in
die Hand nahm, da fieng es, o Wunder, auf einmal
zu bluten an, worüber derselbe blaß wie eine ge=
tünchte Mauer wurde und heftig zu zittern begann.

„Da schaut's nur den Maxl an, wie der auf ein=
mal erschrock'n is!“ bemerkte der eine.

„Mir scheint gar, der Hasenfuß fürcht' sich vor
einem Menschenknochen,“ sagte ein anderer in höhnen=
dem Tone.

„Oder hat er am Ende gar a schlecht's Gewissen,“
fuhr's einem Dritten wie von ungefähr heraus.

Der Maxl aber begann noch heftiger zu zittern,
meinte er doch, man habe ihm aus der Seele eine
gewisse schwarze That gelesen.

„Laßt's mich, ich bitt' euch . . . . . .“ stotterte er
angstvoll hervor.

„Der muß wirklich was Schwer's am Herzen
haben,“ bemerkte wieder einer.

Alle blickten den Maxl scheu von der Seite an,
der sich wirklich schon verrathen glaubte.

„Nur heraus damit, wenn du uns was zu ver=
heimlich'n hätt'st," drängte ein Zweiter.

Der Angesprochene schwitzte vor Angst.

„Ja ich will's euch sagen, denn ich halt's nimmer
aus: ich hab' den —" stotterte er.

„Was hast du?" drängte man in höchster Neu=
gierde den Zagenden.

„Hört's also, ich hab' den Franzl erschlagen!"

Die Knechte fuhren entsetzt von ihren Sitzen auf,
den Verkünder der Unglücksmähre mit offenem Munde
anstarrend.

„Ja 's ist wirklich so, mit meiner Hack'n hab'
ich ihn aus Haß und Neid, weil er g'schickter als
ich war, um'bracht, sein Kopf dann vom Rumpfe
wegg'hackt, und alles oberhalb vom Brunn, damit's
niemand entdeckt, ein'graben. Und nun wißt's
auch, warum hier immer a Mann ohne Kopf
umgieng und die Leut' derschreckt hat," bekannte der
Marl, dem dabei sichtlich leichter um's Herz wurde.

Seine Begleiter wandten sich entsetzt von ihm,
dem Mörder ihres Cammeraden.

„So nehmt's mich nur und führt's mich zum
G'richt," schrie er sie an.

Man brachte den Verbrecher zur Behörde, um
ihn der gebührenden Strafe zu überantworten. Doch
entgieng der Schuldige dem Arme der Gerechtigkeit,
indem er kurz nach der Einlieferung starb: die
heftigen Gewissensbisse und der Schrecken hatten ihn
vor einen anderen Richter geführt.

5. Der Schatz am Kreuze.

Eine Magd beim Grub=
bauer, mit Namen
Hedwig, sollte in der
Sylvesternacht einen

Priester von Landl holen, damit er die er=
krankte Bäuerin versehe. Die Kälte war eine
mäßige, der Mond beleuchtete mit seinem Zauber=
scheine die herrliche, weißglänzende Winterland=
schaft, und die hochstarrenden, kahlen Bäume warfen
gigantische, gespensterhafte Schatten in den Schnee.
Die etwas furchtsame Magd machte sich auf den
Weg und trat durchs Hofthor ins Freie. Kaum hatte
sie dies erreicht, als sich ihr eine schwarzgekleidete
Frau in den Weg stellte.

„Hab' keine Angst, denn dir steht heute ein großes
Glück bevor, da dir glänzender Reichthum winkt.
Sei jedoch standhaft und fürchte dich vor nichts,
denn geschehen kann dir nichts," begann die merk=
würdige Frau.

„Wer seid's denn eigentlich?" frug die erschrockene
Magd mit beklommener Stimme.

„Frage nicht, sondern höre weiter! Ich war die
Frau eines Hammermeisters, und mich quälte ein
derartiger Neid, daß meine armen Arbeiter unter
meinem Drucke fast verbluteten. Geld und wieder
Geld zusammenzuraffen war mein einziges Sinnen
und Trachten, und aus Furcht, es könne mir ge=
stohlen werden, vergrub ich's immer während der
Nacht. Da wurde in einer Sylvesternacht durch ein
Erdbeben und einen entsetzlichen Sturm all unser
Hab und Gut zerstört, und wir unter den Trüm=
mern begraben grade an der Stelle, wo jetzt dies
euer Gehöfte steht," redete die Gestalt weiter.

Die Magd war noch mehr erschrocken, als sie sah, daß sie's mit einem Geiste zu thun habe.

„Alle gut'n Geister loben Gott den Herrn!" rief sie bebend und sich bekreuzend.

„Ich mahne dich nochmals, hab keine Angst, hast ja nichts zu fürchten. Hör mich weiter! Erst als ich in der andern Welt war, erkannte ich die Nichtigkeit der irdischen Güter. Ich kann wegen meinem Geize nicht früher selig werden, bis eine reine Jungfrau meinen vergrabenen Schatz hebt und die Hälfte den Armen giebt. Geh nun ohne Furcht diesen Weg fort bis dahin, wo er mit einem andern zusammenläuft. Dort wirst du eine eiserne Kiste stehen sehen, bei welcher eine Schlange liegt, die den Schlüssel dazu im Rachen trägt. Auf diese mußt du nur herzhaft zuschreiten, den Schlüssel nehmen, und der Schatz ist dein."

So die schwarze Frau, welche auf diese Worte hin ebenso verschwand, wie sie gekommen war.

Die fromme Hedwig bekreuzte sich nochmals und schritt bebenden Schrittes fürbaß. Bald kam sie zu dem bezeichneten Orte, wo sie wirklich die Kiste und darauf das sich hochaufbäumende und zischende Ungeheuer sah, welches den Schlüssel im Rachen trug. Die Magd erschrak nicht wenig darüber und ergriff, anstatt die lockende Kiste zu öffnen die Flucht, Geld und Reichthum in den Wind schlagend.

„O weh, o weh, nun muß ich wieder ein ganzes langes Jahr warten, bis der Sylvesterabend hereinbricht und mich eine reine Jungfrau erlöst," hörte sie hinter sich das Gejammer der schwarzen Frau, wodurch sie nur umso mehr zur Eile angetrieben wurde, um von der unheimlichen Stelle fortzu= kommen.

Hedwig war ihrer Pflicht eingedenk und rastete nicht eher, bis sie beim Pfarrer von Landl ihre Bitte, die kranke Bäuerin zu versehen, vorgebracht. Als sie zurückkehrte, fand sie an dem Orte, wo die geheimnisvolle Kiste gestanden, einen riesigen Stein, von dem sie sich nicht erklären konnte, wie er daher gekommen. Die Magd ward von dieser Zeit an noch braver und sparte so lange, bis sie genügend Geld beisammen hatte, um an dem Orte eine Kapelle bauen zu können, in der sie dann täglich für das Seelenheil der unglücklichen Hammermeisterin betete. Von dem Schatze aber fand man keine Spur mehr, trotzdem die Holzknechte an mehreren Sylvester= nächten so tief an der Stelle nachgruben, daß bei= nahe das dort befindliche Kreuz eingestürzt wäre.

6. Wie's Veitlkreuz entstand.

as Kreuz obigen Namens
steht auf der Erzhalden=
höhe und ist errichtet zur Erinnerung an den

Tod des Vitus Berger, welcher Flosskneht in der Eisenniederlage zu Erzhalden war. Hier mussten Tag und Nacht immer zwei Aufleger bereit sein, welches Geschäft auch einmal den erwähnten Vitus oder Veitl traf. Diesem kam die Sache aber gerade recht ungelegen, denn zur selben Zeit sollte ja eben seine Braut von Lassing her auf „Beschau" kommen und er wollte sie in seinem Hause begrüßen. Weil's nun gerade Samstag war, wo gerade sehr wenig Fuhr= werk anzukommen pflegte, so ersuchte der Veitl seinen Arbeits=Kameraden, für ihn diese Nacht allein zu wachen. Dieser willigte, als er den Grund hörte, bereitwilligst ein. Es war bereits nach 10 Uhr Nachts, als sich Veitl von seiner Arbeit pflichtvergessen fort= schlich, seiner Wohnung zu, genannt die Jäger= herberge im Mändling. Er war kreuzfidel, sang und pfiff, dass es nur so eine Art hatte und eilte, seine Wohnung zu erreichen. Doch machte er diesmal die Rechnung ohne den Wirt, welcher in diesem Falle niemand anderer, als der boshafte Berggeist „Spitz= hütl" war. Als nämlich Veitl eilends über den Raffelsteig gehen wollte, verstellte ihm der kleine, possierliche Spitzhütl den Weg, dabei allerhand tolle Sprünge machend.

„Hahaha," lachte der Veitl erlustigt, „was du kleiner Knirps doch für große Sprünge machen kannst, hupf nur zu, du Daderling,[1]) denn ich fürcht'

---

[1]) Toller Wicht.

mich nit, bin ja größer und stärker als du, und
werd' dir zum Trotz über die Brück'n geh'n."

Der Spitzhütl sprach kein Wort, rächte aber
gleich das übermüthige Lachen des Spötters, welchem
seine Kühnheit einem Geiste gegenüber furchtbar
theuer zu stehen kommen sollte. Die kleine, zwergen=
hafte Gestalt Spitzhütls wuchs wie im Handum=
drehen zum Riesen hinauf und flößte dem Arbeiter
solches Entsetzen ein, dass er im Galopp dorthin
zurücklief, wo er hergekommen war, nämlich nach
Erzhalden. Als endlich Veitl die Eisenkram wieder
erreichte, schreckten die Leute ob seines Aussehens
zurück.

„Um Gott'swillen, wie schaust denn du aus,
Veitl! Du siehst ja eher einem G'spenst' ähnlich,
als einem Menschen, und der Schweiß lauft dir aus
allen Por'n und das Fieber schüttelt dich," rief ihm
sein Kamerad zu.

Doch der Veitl brachte lange kein Wort heraus,
und als er endlich reden konnte, erzählte er die
Geschichte.

„Denk dir, wie ich auf die Raffelbrück'n komm',
begegnet mir wirklich der Spitzhütl, der mir ganz
hopadatschi [1]) den Weg verstellt. Und wie ich darüber
ein Lacher thu', wird er dir immer größer und
größer, und schaut aus wie a Ries'. Ich konnt'
vor Angst keinen Provenker [2]) machen und lief davon,"
berichtete er in aller Eile.

---

[1]) Zornig. [2]) Laut hervorbringen.

3

„Ah, der Spitzhütl war's, den hätteſt du nit ſoll'n reizen, denn der kann ſehr bös werden," meinte der andere.

Am nächſten Morgen begleitete ihn ſein Kammerad, da Veitl nicht zu bewegen war, allein über die Raffelbrücke nach Hauſe zu gehen. Als ſie jedoch zur Stelle kamen, wo tags zuvor der Spitzhütl erſchienen war, ſank der Veitl plötzlich um und war todt, zum Entſetzen ſeines Begleiters. Die Braut des Todten jammerte nicht wenig, als ſie von dem entſetzlichen Schickſale ihres Verlobten hörte. Sie ließ zum Troſte ſeiner Seele an der Stelle, wo er geſtorben, ein Kreuz aufſtellen, welches noch heute ſteht und worüber die Leute die erwähnte Geſchichte erzählen.

7. Das Feuer auf dem Akogel.

u Lichtmesse trat die Magd Eva
beim Amtmanne zu Eschau in den
Dienst. Als sie am Blasiustage das
Frühstück bereiten sollte, hatte sie ihre
liebe Noth, denn das Feuermachen gieng zu der Zeit nicht

3*

so leicht wie heutzutage. Da brauchte man Schwamm,
Feuerstein, Stahl und Schwefelfäden und viel —
Geduld, bis das Feuer zustande kam. Eva war schon
zeitig aufgestanden, denn tagsvorher hatte der ge=
strenge Herr Amtmann geäußert, er müsse am nächsten
Morgen Geschäfte halber nach Wildalpen reisen.
Deshalb galt's, mit dem Frühstück zu eilen, denn
große Herrn lieben das Warten nicht und werden,
wenn nicht alles gleich klappt, leicht zornig. Das
wußte die Magd nur zu gut. Doch weiß Gott, trotz
aller Bemühungen gelang's ihr heute nicht, Feuer
zu machen. Sie schwitzte bereits vor Anstrengung
und Beängstigung, daß sie dem Herrn Amtmann
etwa Grund zur Klage geben könne. Da sah sie in
ihrer fast verzweifelten Stimmung zum Küchenfenster
hinaus, als ob sie draußen in ihrer Noth Hilfe
finden könnte. Und richtig, war's Täuschung, war's
Wahrheit, bemerkte sie drüben am Akogelwalde ein
kleines Feuer brennen. Wenn sie dieser Umstand
sonst wohl höchst gleichgiltig gelassen hätte, so erfüllte
er sie jetzt mit größter Freude, bedeutete er doch die
Rettung aus ihrer Küchenpein. Schnell nahm Eva
eine Eisenpfanne und eilte hastigen Schrittes der
Stelle zu, wo das ihr willkommene Feuer brannte.
In ihrer Freude hatte sie freilich nicht daran ge=
dacht, daß der Weg weit sei. Sie schritt aber un=
bekümmert darum weiter und gelangte endlich an
Ort und Stelle, wo das Feuer vor ihr loderte.
Schon wollte sie hastig einige Kohlen in ihre Pfanne

schieben, als sie eine Frau erblickte, welche tief ver=
schleiert in der Nähe saß und vor der sie, sie mußte
selbst nicht warum, leise zusammenschrak.

„Ich bitt' euch, Frau, gebt's mir etwas Glut,
daß ich mein' Herrn z' Haus g'schwind a Frühstück
koch'n kann," bat Eva etwas ängstlich.

„O mit Freuden geb ich s' dir! Nimm aber
gleich die ganze Glut und befreie mich davon!"
antwortete die Geheimnisvolle.

„Ah, das kann ich doch nit, 's is ja sehr kalt
und ös brauchts auch a Bissl Wärme!" rief Eva.

„Ich bitt' dich aber, nimm alles mit!" flehte
die Frau.

Eva, der die Bitte sonderbar vorkam, achtete nicht
weiter drauf, wie hätte sie auch all die glühenden
Stücke fortschaffen können? Froh etwas Glut zu
bekommen, schob sie mehrere Kohlenbröckeln auf ihre
Pfanne, was ja für ihre Zwecke genügte.

„Ich dank schön für die G'fälligkeit, gute Frau!"
rief sie der Feuerwächterin zu und entfernte sich
dann eiligst.

Kaum war sie einige Schritte gegangen, als sie
hinter sich das Jammern und Wehklagen der Frau
hörte.

„Nun muß ich abermals 1000 Jahre warten,
bis jemand kommt und mir die ganze Glut ab=
nimmt!" tönten die klagenden Rufe der geheimnis=
vollen Frau schauerlich hinter der Davoneilenden.

Zu Hause angekommen sah sie ihren Herrn schon
ungeduldig warten, denn es war bei dem Feuer=
holen eine geraume Zeit vergangen.

„Zum Henker, was ist's mit dem Frühstück?
Indes ich darauf warte, läuft die Dirn ihren Wegen,
vielleicht einem Jägersbuben im Walde nach," schnauzte
der ungeduldige Amtmann die Magd wüthend an.

„Verzeiht, g'strenger Herr! Ich konnte grad heut
kein Feuer krieg'n und lief zum Wald, wo ich Holz
brennen sah. Ich wollt' mir halt a Bissl Glut holen",
entschuldigte sich Eva kleinmüthig.

„So laß die Glut seh'n!" befahl er barsch.

Die Magd schüttete ihre Pfanne auf den Herd aus,
doch wie erstaunten beide, als statt der Glut nichts
als Gold, reines Gold herausfiel.

„Donnerwetter, wie kommst du denn zu dem
Golde, Eva?" frug nun der Amtmann in höchster
Verwunderung.

Die Magd erzählte ausführlich ihr Erlebnis dem
staunenden Herrn, dessen Zorn sich beim Anblicke
des Edelmetalles bereits vollkommen gelegt hatte.
Eva aber gründete sich von dem ihr in den Schoß
gefallenen Golde einen eigenen Besitz und wurde
die Stammmutter des noch jetzt lebenden Geschlechtes
der Reichenpfader.

8. 'S Geiſtern auf der Waldalpe.

Eine Stelle in der Nähe des La=
riſch'en Jagdhauſes, links am Wege heißt: „Beim todten

Jäger." Man sieht hier eine kleine überhängende Fels=
wand, unter welcher ein Revierjäger erschossen gefunden
wurde. Derselbe hatte mehrere Wildschützen verfolgt,
wurde aber von einem jählings angegriffen und
durch eine nur zu sicher treffende Kugel nieder=
gestreckt. Nun packte den Mörder die Angst und er
berieth mit seinen herbeigeeilten Kameraden, was zu
thun sei, um unentdeckt zu bleiben? Man rieth hin
und her. Schließlich legte man die Leiche unter den
Felsen hin, um den Anschein zu erwecken, als ob
der Jäger von der Wand gestürzt sei und so den
Tod gefunden habe. Zum Ueberfluße häufte man vor
die Leiche, um eine Entdeckung hinauszuschieben,
viel Reisigäste auf. Als im nächsten Jahre die
Schwoagerinnen[1] und die Schmalzträger diese Gegend
passierten, sahen sie verschiedene unheimliche Sachen.

„Wißt's schon, daß 's auf der Alm onaweigelt[2])?
I hab ihn g'nau g'seh'n den Geist, wie er auf der
Wies'n hin= und herg'hupft is!" erzählte eines Tags
der Schmalztrager seinem Herrn mit angstvoller
Miene.

„Was nit gar! Hast 'leicht a Paar Glasl Schnaps
z' viel 'trunken und da hat's halt in dein' dumm'n
Schädl onag'weigelt!" meinte der Bauer spöttisch.

„'S ist heilige Wahrheit und wann ös 's nit
glab'n mögt, so fragt nur die andern Almer," ver=
sicherte der Schmalzträger mit ernster Miene und
in beleidigtem Tone.

---

[1]) Almerinnen. [2]) Geistert.

„Geh, laß dich nicht auslach'n, ich glaub's amal nit," meinte der etwas hartgläubige Bauer.

Es steckte aber wirklich etwas hinter dem Gerede der Leute, obgleich viele Thalbewohner die Sache nicht für möglich hielten. Schließlich kam's so weit, daß sich viele des Gespensterspuckes wegen fürchteten, die nöthigen Gänge auf die Alm zu machen. Das wurde den schneidigen Bauern denn doch zu dumm.

„Ich rath'" meinte der eine, „daß wir uns z'sammenthun, auf d' Alm geh'n und den Geist aufsuchen und bannen".

„Das halt ich nit für rathsam, denn mit den Geistern is 's a speare [1]) G'schicht", ließ sich ein anderer vernehmen, der den Namen Köhlersepp führte.

„Der Sepp halt's mit den Hasen, wir aber werden ihm zum Trotz auf d' Alm geh'n" sprach ein Dritter.

Der Rath fand Anklang, und man einigte sich auf das Beschwören des Geistes. Am Vorabende des Sonnenwendtages brach man auf und zwar in Begleitung vieler handfester Knechte, welche im schlimmsten Falle gute Dienste leisten konnten. Alle waren von der besten Absicht und dem festen Vorsatz erfüllt, die ganze Nacht zu wachen, den Geist zu erwarten und ein für allemal zu bannen, damit endlich auf der gefürchteten Alm Ruhe eintrete. Dabei war

---

[1]) Böse, bitter.

man wohlweislich mit Dreschflegeln, Heugabeln und
Prügeln trefflich bewaffnet, um dem Geiste den
nöthigen Respect einzuflößen, beziehungsweise um
allenfalls bei der Beschwörung Gewalt zu gebrauchen.
Die Dämmerung war bereits hereingebrochen, als
man auf der Alm anlangte. Der Anführer flößte
allen nochmals Muth ein.

„Leutl, fürcht's euch nit und trinkt's euch vom
Enzian a Bissl Courage an!" mahnte er, indem er
die große Schnapsflasche kreisen ließ.

Man ließ sich dazu nicht zweimal mahnen,
sondern jeder that aus der Flasche schnell einen sehr
tiefen Zug, und besonders der Hintermaier zog sehr
herzhaft, um den nöthigen Muth zu bekommen.

„Da schaut's den Maier an, ich glaub, der bleibt
gar noch mit seinem Schnabl in der Flasche steck'n,"
schimpfte der Nazl neidisch.

„Heda, Maier, sauf nit allein den ganz'n Schnaps
aus, die andern woll'n auch was hab'n," mahnte
der Anführer in strengen Tone.

„Na, na, ich glaub' gar, ös werd's an
eurem Neid noch derstick'n, nit amal ein redlich'n
Schluck vergönnt's einem," brummte der Getadelte,
die Flasche mißmuthig weiter reichend und sich den
Mund wischend.

Bald war die Schnapsflasche ausgetrunken.

Nun glaubte alles auf das Erscheinen des Geistes
gerüstet zu sein, der Anführer überblickte wolgefällig
seine starke schnaps= und thatenburstige Schar und

stellte in kluger Ueberlegung die kühnsten und stärk=
sten Leute in seiner Nähe auf.

„Ich glaub', wir können's mit dem Geist aufneh=
men", meinte er zuversichtlich.

„Ich nehm's allein mit tausend Teufeln auf",
prahlte der Hintermair, dessen Courage sich schon
bemerkbar machte.

Bei diesen Gesprächen ward's finsterer und fin=
sterer, bis endlich tiefschwarze Nacht über die un=
heimliche Alm hereingebrochen war, wo die ent=
schlossenen Männer des Geistes harrten. Mitter=
nacht, die Geisterstunde, war noch nicht gekommen,
als man in einiger Entfernung ein Licht erblickte,
das sich hin und her bewegte. Man glaubte, es
nahe jemand mit der Laterne, doch wagte es keiner,
sich vom Flecke zu rühren.

Bald darauf wurde ein zweites, ein drittes und
weitere Lichter sichtbar, die auf dem Almboden hin=
und herzutanzen schienen. Auch in der Luft wurden
glühende und herumschwebende Fünklein wahrnehm=
bar und so immer mehr, bis sich endlich eine ganze
Masse herumschwirrender Lichter zeigte.

„Du hörst, Franzl, ich hab eine schreckliche Angst
'kriegt", raunte der Hintermair seinem Nachbar zu,
„da schau nur, wie s' herumhupf'n die Geister! Was
nur draus werd'n wird?"

„Wenn wir nur lieber z' Haus blieb'n wären,"
murmelte dieser mit bebender Stimme, sich hinter
die andern versteckend.

Auch den anderen war bei dem Gespensterspucke
die Gänsehaut über den Rücken gefahren, als endlich
der Anführer und Beschwörer sich ermannend seine
Formel mit stockender Stimme hersagte:

„Alle guten Geister loben Gott, den Herrn,
Nun sprecht, was ist euer Begehr'n,
Und sagt uns auch noch, wie ihr heißt,
So ihr seid vom guten Geist!"

Bebend und zitternd wartete man auf die Geister=
antwort, die man auf diese sonst sicher wirkende
Beschwörung immer bekam. Doch nichts von dem
erfolgte, im Gegentheil schien der Spuck nur noch
ärger zu werden.

„Rettet's euch, Leutl, so schnell als möglich, sonstn
is alles verloren!" schrie der Führer.

Alles stob auseinander, so schnell es bei der
Dunkelheit gieng, und lief dem Thale zu, Flegel,
Heugabeln und Prügel wegwerfend. Einer der
Fliehenden fiel bei der eingangs erwähnten Fels=
wand über die vor der versteckten Leiche jenes Jä=
gers aufgeschichteten Reisigäste, in denen er sich ver=
wickelte. Dazu brach ein Unwetter los, Blitz auf
Blitz zuckte, Donner auf Donner rollte, so daß sich
der Erschreckte schon gar nicht mehr weiter traute,
sondern unter der schützenden Felswand blieb. Gegen
Morgengrauen, als sich das Gewitter verzogen, sah
er die Leiche und erschrack nicht wenig. Sofort
eilte er, so gut es eben gieng, zu seinen Kameraden
und theilte ihnen die Entdeckung mit. Als sich bei

seiner Erzählung ein Knecht, der auffallend blaß
geworden war, rasch entfernen wollte, lief man ihm
nach, denn er stand schon früher im Verdachte licht=
scheuer Thaten. Diesen Knecht in der Mitte schritt
man zum Orte, wo die Leiche lag. Der Anblick
derselben im Vereine mit der Erinnerung an die
Mordthat brachten den Knecht zum Geständnis, den
Jäger getödtet zu haben.

Schließlich wurde auch der Geisterspuck aufge=
klärt, der in nichts anderem bestanden hatte, als in
dem Phosphorescieren von faulem Buchenholz und
im Leuchten eines kleinen Moorgrundes und einiger
herumschwirrender Johanniskäferlein, wodurch in=
dessen das Verbrechen an das Tageslicht gebracht
wurde.

9. Der Schatz an der Brücke.

Jn der schönen Christ=
nacht, wenn sich am
Dufte des herrlich glänzenden Tannenbaumes nicht blos

die Kinder freuen, sondern auch den Alten bei der
Erinnerung an die Geburt des göttlichen Kindes
die Herzen aufthauen, an diesem Abende, dessen un=
sichtbarer Zauber und poesievoller Reiz auf alle wirkt,
spielen sich nach der Volksmeinung auch allerhand
geheimnisvolle Vorgänge in der Natur ab. So gieng
— es war gerade wieder heiliger Abend — ein Dirn=
lein vom Gehöfte des Hebenstreit im Salzathale from=
men, kindlichen Sinnes zur Mette zur ziemlich ent=
fernten Kirche. Rauschend strömte die Salza da=
hin, der Mond schamm als leichter Silbernachen am
Himmel, umgeben von seiner trauten Herde, den
Milliarden funkelnder Sterne, Schnee und Eis er=
glänzten unter dem zauberhaften Scheine, und aus
dem immer näher rückenden Kirchlein ertönten die
hehren Weihnachtslieder, zunächst in gedämpftem
Tone, dann aber immer stärker werdend und mäch=
tiges Echo im Herzen der Kirchengängerin weckend.
Das Dirnlein war freudig gestimmten Herzens im
einfachen Kirchlein angelangt. Die heilige Hand=
lung machte auf die Gläubigen einen umso größeren
Eindruck, weil sie in mondschimmernder Nacht statt=
fand. Die letzten Klänge der Orgel waren ver=
rauscht, und alles strömte nach Hause und zwar
eilenden Schrittes, denn die Kälte war so schneidig
geworden, daß sie zierliche Eisblumen an die Fenster
der Häuser malte und auf die Wangen der Kirchen=
gänger rothe Rosen zauberte. Allmählich hatten sich
die Andächtigen in ihre Häuser zerstreut, und nur

unſer Dirnlein hatte noch allein ein kleines Stück
Weges zur Wohnung zurückzulegen.

Noch klang ihm das: „Ehre ſei Gott in der Höhe
und Friede dem Menſchen auf Erden!" im Herzen
nach, als es zum Grubbauerkreuz kam, von wo der
Weg dann über die Salza in die Schattenſeite führte.
Da ſah die Wanderin zu ihrer Verwunderung eine
ſchwarze, tiefverſchleierte Frau in einem lichten Schei=
ne ſitzen, eine Frau, die gar geheimnisvoll ausſah.

„Du kannſt heute ſehr reich werden, reicher, als
mancher Graf oder Fürſt, nur mußt du ſtandhaft
ſein und darfſt den Muth nicht verlieren. Paß
auf, was ich dir darüber ſage. Drüben auf der
Brücke wirſt du einen kleinen, eiſernen Kaſten ſehen,
worauf ein ſchwarzes Hündchen ſitzt, das, ſobald du
in die Nähe kommſt, heftig bellen wird. Es wird
ſehr wild ſein und dich gar nicht herankommen
laſſen wollen, gehe aber nur unerſchrocken heran
und nimm den goldenen Schlüſſel, auf dem es ſitzt
und das Gold im Kaſten iſt dein Eigenthum",
ſprach die merkwürdige Frau mit milder Stimme
zu dem Dirnlein, das zwar zuſammenſchauerte, aber
bei den freundlichen Worten der ſonderbaren Geſtalt
doch gleich wieder Muth faßte.

Die Ausſicht, ſo unermeßlich reich zu werden,
war aber auch ſo verlockend, daß es wohl wert
war, das Wagnis zu unternehmen, womit die
Schatzhebung verbunden war. Auf dem Wege zur
Brücke dachte das Dirnlein ſchon an die Möglichkeit,

sich schöne Kleider kaufen, eine prächtige Wohnung
und vieles andere Kostbare sich anschaffen zu können.
Es malte sich aus, wie herrlich das alles werden
sollte und wie die anderen voller Neid auf den
Reichthum schauen würden. So kam die Jungfrau
in die Mitte der Brücke, auf deren Ende sie wirklich
das schwarze Hündlein auf einem Eisenkasten bellen
hörte. Etwas furchtsam trat sie näher, der Hund
fieng an, wüthend zu kläffen und schien ihr den
Weg versperren zu wollen.

Wohl sah sie den goldenen Schlüssel unter dem Kläf=
fer und den lockenden Kasten, doch ihre Angst vor dem
Hunde und der ganzen unheimlichen Sache wurde
immer größer, so daß sie nur den einen Wunsch hegte,
zu Hause zu sein. Einen Moment benützend rannte
sie an Kasten und Hund vorbei ihrer Behausung
zu. Am linken Salzaufer, der Schattenseite, war's
unheimlich dunkel und an der Brücke, wo früher,
von der Frau hervorgebracht, fast Tageshelle ge=
herrscht hatte, war von einem Lichte nichts mehr
zu sehen. Als sich das Dirnlein noch einmal um=
wandte, sah es drüben die schwarze Frau plötzlich
wieder und zwar diesmal wie von Phospor be=
leuchtet, und hörte ihr Rufen und ihr fürchterliches
Wehklagen.

„O weh! Nun muß ich wieder so lange warten,
bis an dieser Stelle ein Baum wächst, bis aus
demselben eine Wiege gemacht wird und bis das

4

erste Kind, welches hinein gelegt wurde, in der heil. Chriſtnacht vorübergeht und dem Hündchen den Schlüſſel abnimmt. Wehe, wehe, wehe"! ſchallten die ſchauerlichen Klagen der Frau ans Ohr des davoneilenden Dirnleins.

10. Nochmals der Spitzhütl.

Am Martinitage zwischen 10 und
11 Uhr nachts fuhr der Floß=
führer des Hollensteiner Gewerkes namens Martin
Steinert von Erzhalden zum Hause seines Dienst=
herrn, um am anderen Tage dessen Namensfest

4*

mit allen Familienmitgliedern in guter alt=
patriarchalischer Sitte mitfeiern zu können. Wie
der Flösser zur Raffelbrücke kam, sah er im Mond=
scheine ein Männlein auf dem Brückengeländer
lustig hin= und herhüpfen. Der Flösser, oder viel=
mehr der jetzige Fuhrmann lachte anfangs sehr über
die kurzweiligen Sprünge dieses Däumlings, doch
vergieng ihm dies nur zu bald, als die Pferde
unruhig wurden und durch nichts weiter zu bringen
waren. Im selben Momente sprang der Zwerg vom
Geländer auf die Straße und sprach den verblüfften
Fuhrmann an.

„Merk auf, mein Lieber, merk dir jedes Wort,
was ich dir sage. Der Spitzhütl, der ich nämlich
bin, läßt den Grünhütl drüben überm Scheiben=
berge schön grüßen und ihm sagen, der alte Wein=
gart sei gestorben. Du aber wirst für deine Bot=
schaft bei der Zwiselbrücke deinen Lohn finden,"
ließ sich der Däumling vernehmen.

Wie gebannt stand der Knecht da und konnte
lange seine Fassung nicht wiedergewinnen. Endlich
kam er zur Besinnung zurück und dachte über die
sonderbaren Worte nach.

„Mein Herr todt? Das ist nit möglich. War ja
gestern noch gesund wie ein Fisch im Wasser. Und was
ist's mit dem Grünhütl?" murmelte er.

Es war ihm unverständlich, wie er den Grün=
hütl, den er ja nicht kannte, grüßen solle, und wie
es gekommen, daß sein Herr plötzlich gestorben sei?

„Er hat sich halt ein' schlecht'n Spaß mit mir g'macht, der lose Spitzhütl," brummte er in den Bart und brachte seine Pferde wieder auf die Beine.

So kam er auf die Zwieselbrücke, und der Bot=schaft oder vielmehr des Lohnes eingedenk, der ihm hier winken sollte, hielt er an, stieg ab und suchte mit der Laterne die ganze Umgebung der Brücke ab. Endlich entdeckte er, als er schon ungeduldig weiter fahren wollte, in einer Ecke am Wege ein Häuslein alter Hufnägel.

„Das soll also mein Lohn sein? 'S ist zu dumm," meinte er enttäuscht, die wertlosen Nägel beiseite schiebend.

Doch besann er sich im letzten Momente, bückte sich und steckte einige Handvoll von dem Funde ein.

„Kann sie wenigstens für meine Pferde brauchen," murmelte er.

Am nächsten Tage zu Hause angekommen, fand er alles in größter Aufregung, nicht einmal der sonst so gefällige Hausknecht kam ihm entgegen. Alles war traurig und niedergeschlagen.

„Heda, was ist denn eigentlich los, daß ihr die Köpfe hängen laßt wie zerschlagenes Korn?" fragte er einen.

„'S ist Schreckliches g'scheh'n. Unser Herr, der alte Weingart, ist gestern nachts um ¹|₂ 11 Uhr plötz=lich gestorben," erhielt er zur Antwort.

Der Fuhrmann zuckte zusammen, als ob ihn der Blitz getroffen hätte. So hatte also doch der Spitz=

hütl wahr gesprochen! Und sonderbar, gerade um die
Zeit war sein Herr hinübergegangen, als er gestern
auf der Raffelbrücke die Botschaft davon erhielt. Dem
Knechte war nicht wohl zu Muthe, er schlich sich in
seine Kammer, um hier von der Aufregung auszu=
ruhen. Da griff er zuvor noch wie zufällig in die
Tasche nach den Hufnägeln und erstaunte nicht wenig,
als er diese als lauteres Silber erkannte. Nun reute
es ihn wohl, nicht mehr davon genommen zu haben,
als er später aber noch etwas davon unter der
Zwieselbrücke holen wollte, fand er nichts mehr.

11. Das Rafflmandl.

Ein furchtbares Hochwetter zog vom Gamssteig gegen Scheibenberg den Rafflmäuern zu und gieng

mit ſchrecklicher Gewalt nieder. Das Raſſlbächlein
ſchwoll zum Wildbach und riſs ſogar Straßen=
brücken mit, unter anderen auch die Raſſlbrücke,
welche ſchnell wieder hergeſtellt werden muſste, da
die darüberführende Dreimarkterſtraße ſehr befahren
war. Muſste ja doch über die Brücke den Hammer=
werken in Laſſing, Hollenſtein, Göſtling, Lunz und
ſo vielen anderen das Roheiſen oder die ſogenannte
„Floſſen“ vom Erzberg in Eiſenerz zugeführt werden,
in einer Zeit noch, wo jeder Hammerſchlag in den
Ohren der Hammermeiſter Dukaten läutete. So zog
man denn zur Reparierung der Brücke von allen
Seiten Arbeiter herbei, ja ſogar die in ·der Nähe
wohnenden Köhler muſsten mithelfen, ſoweit es ihre
Zeit erlaubte, damit ja die Ueberſetzung der Bach=
ufer rechtzeitig wieder hergeſtellt werde. Unter den
Köhlern befand ſich einer namens Nachbagauer von
der Raſſlkohlung, ein ſehr fleißiger Mann. Seine
Mitarbeiter machten wie gebräuchlich um 6 Uhr
Abend Schicht, während er, da er ſeine Wohnung
in der Nähe hatte, noch fortgrub, damit die neuen
Brückenköpfe baldigſt aufgeſetzt werden könnten. Auf
einmal ſchüttelte der Mann ſtaunend ſeinen Kopf
und ſtützte ſich auf einen Augenblick auf ſeine
Schaufel.

„Merkwürdig, wie Braſchen, wirkliche Braſchen [1])
daherkommen! So tief unten am Ufer vom Bach

---

[1]) Kohlabfälle.

kann ja doch keine Köhlung bestand'n hab'n. Ich
müßst' ja, als der Sohn des Rafflköhlers, auf=
g'wachsen im Rafflgraben, wo ich jeb's Plätzchen
aus meiner Jugend herkenn', etwas g'hört hab'n,
wenn da irgend amal a Kohlstätt'n g'wes'n wär,"
murmelte er für sich hin.

Dabei griff er in die Braschenhaufen und steckte
einige Handvoll davon in seine Taschen, um die
ihm merkwürdig dünckenden Funde zu Hause zu zeigen.
Weiter bemerkte er in den Kohlabfällen einen ur=
alten Schlüßsl, denn er ebenfalls zu sich nahm, um
sich dann, müde von der Arbeit, zu entfernen. Schon
lange guckten seine Kinder nach ihm aus und fragten
sich, warum er denn so lange ausbleibe? Endlich
trat der sehnlich Erwartete ganz erhitzt ein.

„Da sieh, Weib", rief er, „was ich heut' Kurioses
unter der Brück'n, bei der Arbeit g'fund'n hab'."

Damit leerte er seine Säcke aus, in die er die
Braschen gesteckt hatte. Doch, o Freude über Freude,
was er da herauskramte, waren keine Kohlabfälle
mehr, sondern lauter glänzende Silberstücke. Die
Ueberraschung kannte keine Grenzen.

„Mann, lauf, was d' kannst, zurück zur Brück'n,
wo du den wunderlich'n Schatz g'funden hast, und
schau, daß d' ihn ja ganz bekommst!" rief ihm
sein Weib, die am glänzenden Metalle eine große
Freude hatte, zu.

Er ließ sich das nicht zweimal sagen, nahm den
größten Sack und rannte wie rasend dem Fundorte

zu. Hier war noch alles so, wie er es verlassen hatte. Als er aber eilends neues Silber heben wollte, hinderte ihn daran ein Männchen. Anfangs konnte er sich dieser Angriffe leicht verwehren, doch blasse Furcht ergriff ihn, als der Zwerg immer größer wurde, ja zum Riesen aufschoß.

„Hast du den Schlüssel zum Schatze unter dem Brückenkopfe? Wehe dir, wenn du ihn verloren hättest, du armer Wicht!" rief der Unheimliche dem Schatzsucher zu.

Bebend an allen Gliedern suchte dieser nach dem Gewünschten in seinen Taschen, fand aber nichts, denn er hatte den Schlüssl bei seinem schnellen Davoneilen aus der Hütte verloren. Das ward für den Schatzgräber verhängnisvoll, denn am andern Tage fanden ihn seine Kameraden todt in der Grube, in welche der Brückenkopf gesetzt werden sollte. Die Habgier hatte den Unglücklichen zur Stelle zurück= getrieben und den Tod durch das Rafflmandel finden lassen.

Vor vielen, vielen Jahren fand man noch an dem Orte als Erinnerung an dies Geschehnis ein Kreuz, das die Witwe hatte errichten lassen.

12. Der hl. Georg. Die Juchsgeigerlhütte. Kerzenmandl.

as Fest des heiligen Ritters
Georg wurde einst in
Niederösterreich um einen
Tag später gefeiert als

in Steiermark. Warum denn aber das? wird mancher Neugierige fragen. Nun die Sache ist ganz einfach folgende.

Als dieser Heilige aus den weiten Ländern des Südens durch die Steiermark nach Niederösterreich reiste, hatte er das Unglück, daß ihn nicht weit von der Grenze dieser zwei Länder, gerade als er durch das Salzathal und in die „Mändling" kam, die Nacht überfiel, so daß er genöthigt war, sein Nachtlager unter der Hartlbrücke aufzuschlagen. So kam es, daß er Niederösterreich erst um einen Tag später betreten konnte.

Nicht weit von der Drehbadlbrücke, und unfern des Bommeralpbauern sieht man unter der Straße, welche nach Wildalpen führt, eine hübsche Kohlstätte. Rechts an der Straße steht ein hölzernes Gebäude, welches allgemein die Fuchsgeigerlhütte heißt.

Man sah nämlich hier immer an gewissen Tagen an den Stubenfenstern einen Fuchs, der auf einer Geige spielte, und als vor einigen Jahren die alte Hütte wegbrannte, sah ein glaubwürdiger Köhler, wie der Fuchs mit der Geige auf dem Rücken da= vonsprang.

Im neuen Gebäude spielte aber der Fuchs nicht mehr, was doch für die Leute, die ihm bei seinem Spiele öfters zuhörten, sehr schade ist.

Bei Sulzbach steht ein einsamer Felsriegel zwi=
schen zwei Thälern, im Volke genannt „Kerzen=
mandlkogl", auf welchem man öfters zur Nachtzeit
ein Männchen mit einer Kerze gesehen haben will,
mittels welcher dasselbe weithin herumgeleuchtet
habe, damit sich etwa unterwegs befindliche Reisende
im Thale nicht verirren.

13. Wie's in der Palfau aussieht und zugeht.

Im Dorfe Palfau, das wir bereits kennen, ist's sehr idyllisch, und es lohnt sich, die Gegend näher zu besichtigen. Von drei Seiten ragen hohe Bergrücken gegen den blauen Himmel und sind bedeckt mit

duftig grünem Nadel= und Laubwald, während gegen
Westen sich das Thal weit öffnet und von der Ferne
der wildzerrissene, graue Tamischbachthurm und der
massige Buchstein, von glänzendem Schnee umhüllt,
vom romantischen Ennsthale herübergucken. Der
Duft der harzigen Wälder, der bunten Almen und
der blumigten Wiesen ist ungemein köstlich. Die
behagliche Einsamkeit und Ruhe der Gegend, in der
sich sanfte Lieblichkeit mit wilder Romantik paart,
macht den Aufenthalt zu einem sehr angenehmen.
Diese Tour ist deshalb eine der reizendsten Partieen
in der schönen grünen Steiermark zu nennen. Zum
Sommeraufenthalte ist das Thal wie geschaffen, nicht
zum wenigen, weil bei der Güte des Gebotenen und
bei der Freundlichkeit der Bewohner die Preise
staunend mäßig sind. Der Verkehr fehlt hier nicht
ganz, indem öfter Touristen das Thal durchqueren,
aber die idyllische Ruhe wird dadurch keineswegs
stark beeinträchtigt. Wenn die Sonne nach einem
Unwetter die frischbelebte Natur bescheint, wenn die
Gletscher herüberglitzern, wenn die Luft von wunder=
barer Klarheit ist, wenn Rothkehlchen, Goldhähnchen
und Schwarzköpfchen in dichten Gebüschen ihr Lied=
lein singen, Stieglitze und Hänflinge munter herum=
hüpfen, wenn Amseln und Drosseln im Walde
herumträllern, wenn die Meisen, gar liebe Gäste,
ihr trautes und so feines: „Zibi, Zibi!" singen, wenn
bunte und einfärbige Spechte eifrig an Bäumen
hämmern, schöngefiederte Holztauben im Thale lustig

herumflattern, ja wenn sich sogar der Widehopf, der possierliche Kauz, hie und da zeigt, und dazu die grüne Salza im wildzerrissenen Flussbette rauscht und braust, dann ist's ein Hochgenuss, herumzu= schlendern und den Duft von Wald und Au zu athmen.

Bei Festlichkeiten kann's im Thale sehr lebendig werden, besonders aber, wenn eine höhere Persön= lichkeit einzieht. Da beeilt man sich, prächtige Ehren= pforten zu errichten, Häuser und Geräte mit bunten Fahnen und Bändern zu schmücken und was die Hauptsache ist, die Pöller krachen zu lassen.

Dies geschieht auch schon beim Ave Maria=Läuten vor dem Einzuge und dann erst recht, wenn der eigentliche Moment gekommen. Da geht's dann gar stürmisch zu, denn jung und alt drängt sich herum. Bei solchen Gelegenheiten versäumt man es auch nicht, Freudenfeuer auf den Bergen anzuzünden, was ein uralter Brauch der Alpenbewohner ist. Dazu kommt noch, dass Schul= und Gotteshaus mit Eiben= und Tannenkränzen aufs schönste herausgeputzt werden. Am Festtage selbst ist Gottesdienst mit Predigt, dann werden Ansprachen gehalten und Hochs auf die Ge= feierten ausgebracht. Interessiert aber die Festlich= keit die Gemeinde ganz besonders, so ist es Sitte, zur steten Erinnerung daran junge Eichen an einem belebten Orte zu pflanzen und dieselben mit dem Namen des Gefeierten zu benennen.

Nicht minder kommt Leben in den Ort, wenn's

nach dem langen, starren Winter gilt, das Vieh in
der Mitte Mai auf die Alm zu treiben, oder, wenn
in der erften Hälfte des Octobers der Abtrieb er=
folgt. Dies bildet im Leben der Bewohner ftets ein
Ereignis, das unter großen Feierlichkeiten begangen
wird. Hauptfächlich aber ift's der Abtrieb, der, wenn
fich kein bedeutender Unfall bei der Herde ereignet
hat, unter vielem Gepränge ftattfindet. Die „Schwoa=
gerin", (welcher die Oberaufficht über die Mägde
und das Vieh auf der Alm zufteht), fowie die
„Halterin" bekleiden fich zunächft mit ihren beften
Sonntagskleidern. Stier, Glockenkuh und mehrere
andere fchöne Rinder werden mit Bändern, Kränzen
und Flittergold auf das buntefte geputzt, dazu noch
mit kleinen Spiegeln und anderem glitzerndem Tand
behangen, und fchließlich bekommt das „Leitthier,"
welches ftets ein Stier ift, zwifchen feine Hörner
ein geziertes Fichtenbäumchen.

Sodann treibt die Halterin das aufgeputzte Vieh
vor fich hin, während hinter ihr die übrige Herde,
das Jung= und Borftenvieh folgt, welches die
Schwoagerin im Zaume hält. Schließlich folgt der
Alpenwagen, der die auf der Alm benöthigten Ge=
räte der Viehwirtfchaft enthält und von einem Knechte
oder einer Magd begleitet ift. Während des Abtriebes
wechfeln Jodler mit Gefang und kommen dem Zuge
natürlich viele Neugierige entgegen, die oft von der Magd
mit „Flödlnudeln" oder Krapfen befchenkt werden. Ift
man endlich im heimatlichen Haufe angelangt, fo

5

wird das Vieh seines Schmuckes entledigt und auf
eine Weide beim Hause getrieben. Am Abende bekom=
men die Nachbaren den sogenannten „Flöblkoch,"
einen mit Weinbeeren angerichteten fetten Sterz,
zugeschickt, während im Festhause selbst den von der
Alm kommenden Leuten ein heiteres Mahl veran=
staltet wird, wozu sich nicht selten, besonders, wenn's
ein reiches Haus ist und die Herde in gutem Zu=
stande sich befindet, ein lustiger Tanz gesellt. Kein
Vieh= und Almbesitzer versäumt beim Abtriebe dieses
Fest, ist doch sein Viehstand, hier zumeist Mürz=
thaler= und Murbodnerschlag, sein Reichthum.

Prüfen wir die Bewohner genauer, so erfahren
wir, daß sie ein friedliebendes, gutmüthiges und
aufrichtiges Völklein sind, das aber bei aller Arbeit=
samkeit und Aufgewecktheit noch an vielem Aber=
glauben hängt und, wie seine Sagen zeigen, an Ge=
spenster, Geistererscheinungen und Verzauberungen
nicht minder, wie an das „Verschreien" der Kinder
und an das Verhexen des Viehes glaubt.

Ihre Sprache hat als Dialect natürlich viele
Merkwürdigkeiten. So ist es sonderbar, wenn der
Mann sein Weib anderen gegenüber „Sei" nennt
und wenn die Kinder ihre Eltern mit „Er" an=
sprechen. Statt „Pfüt Gott" sagt er „Pfürt," für
das Zeitwort flimmern hat er den Ausdruck „fem=
razn," besser oder lieber heißt bei ihm „frutla," für
Hosenträger hat er den Ausdruck „Kragn," für an=
muthig die Bezeichnung „gschmach," beinahe heißt

bei ihm „hafn," trüb „tumper," dämmerig „tufig" u. f. w.

Die Tracht ist die echt steirische, ist außerordent=
lich hübsch und malerisch. Sie verschwindet jedoch
wie überall immer mehr. Nur an Sonn= und Fest=
tagen bemerkt man noch vielfach die originelle Klei=
dung. Schwere, genagelte Schnürschuhe, in denen
der echte Steirer ebenso elastisch geht, als flott tanzt,
bilden seine Fußbekleidung im Vereine mit grün=
wollenen Strümpfen, die bis ans Knie reichen. Die
schwarzlederne mit Laubverzierung und Beinknöpfen
versehene Hose reicht nicht über's Knie und läßt
dieses also frei. An Sonntagen aber ist das sonst
freie Knie mit weißer Unterhose bedeckt. Nun folgt
die grüne Weste, der graue Lodenrock, ebenfalls grün
aufgeputzt, und schließlich der schwarze Hut mit
breitem Bande, das wieder von der unvermeidlich
grünen Farbe ist und von welchem der „Gamsbart"
oder die „Schneidfeder" des Auerhahns keck herunter=
nickt. Diese schneidige Tracht kleidet die kernigen
Leute nur zu gut und ist's auch, die dem Steirer
vor anderen sein besonders Gepräge verleiht.

Die Palfauer lieben die Musik, den Gesang, Tanz
und das Kegelscheiben. Beim „Schanzeln" verstehen's
gute „Scheiber" 15—20 fl. an einem Tage zu ge=
winnen, und sind's gerade die Holzknechte, welche
dabei viel wagen. Wenn dann die hübschen „Gsangeln"
und die lustigen Jodler ertönen, wenn die Mund=
harmonika, die Zither und die Seitenpfeife klingen
und wenn schließlich ein g'spassiger „Außipascher"

5*

getanzt wird, dann hat die Luft ihren höchsten Grad erreicht.

Im Speisen ist der Palfauer im allgemeinen sehr genügsam, an Wochentagen begnügt er sich mit Sterz und Schottensuppe, mit Kraut und Knödl oder „Nocken," wozu an manchen Tagen Selchfleisch kommt, während an Festtagen wiederum Wurstsuppe, Rindfleisch und Braten mit Milchkrenn, Krapfen und Schober (Guglhupf) und an Weihnachten noch das unvermeidliche „Gletzenbrod" sein Mahl bildet.

14. Bräuche und abergläubische Meinungen in der Palfau.

In den Sitten und Bräu-
chen des deut-
schen Alpen-
volkes findet man

Wenn's am Pfingstsonntag regnet, so sagen die Leute, es regne dem Bäcker Gold in den Backtrog hinein.

Am Sonnwendtage werden Büscheln eines gewissen Krautes gesammelt und zwischen die Fenster gesteckt, damit dadurch jedes Unglück verscheucht werde. Am selben Tage werden von allen Hausinwohnern auch sogenannte „Goldäpfel" gesammelt, worauf jeder seinen Apfel zeichnet und auf die Zimmerdecke hängt. Wessen Goldapfel nun zuerst verdorrt, der soll noch im selben Jahre sterben.

In der Thomasnacht werden unter Brodkörberl verschiedene Sachen gelegt, so giebt man unter das eine Geld, unters andere ein aus Holz geschnitztes Kind, läßt ein weiteres ganz leer, legt unters nächste wiederum einen Kamm, unters folgende ein Messer u. s. w. noch manch andere bedeutungsvolle Gegenstände. Ist das geschehen, so geht eines von den Hausleuten hinaus, worauf die Sachen unter den der Reihe nach dastehenden Körberln vertauscht werden. Nach einem Zeichen zum Eintritte hebt dann die hereingekommene Person irgend ein Körberl auf, trifft sie das Geld, so bedeutet's Gewinn, hebt sie das Kind, so wird sie bald heiraten, kommt sie aufs leere, so wird sie bald sterben und hebt sie endlich das Körbl mit dem Kamm, so bedeutet's gar nichts. Ueber jede Bedeutung werden natürlich Glossen gemacht und der Betreffende muß sich manchen derben Scherz und Witz gefallen lassen. Dazu kommt noch das bekannte Pantoffelwerfen und anderes. Auf diese Weise vergeht der Abend.

Während der Christmette sollen alle Kühe und Pferde reden können. Um nun einer solchen Unter= redung zuzuhören, soll ein Bauer, der seine Pferde sehr zu schinden pflegte, bei einer kleinen Oeffnung des Stalles gelauscht haben. Und richtig, als die obenerwähnte Zeit kam, da huben seine Gäule an zu sprechen, so daß ihm die Haare zu Berge standen ob des großartigen Geschehnisses.

„Sag, wie geht's Dir denn, Brauner?" frug der Schimmel seinen Nachbar.

„Ganz elend, unter'm Hund, noch heute schmerzen mich die Schwielen, die mir mein Herr, der Elende, gestern mit seiner verwünschten Peitsche beigebracht," schimpfte und klagte der gefragte Gaul.

„Und mich hat der Schinder vor acht Tagen mit der Faust aufs Maul geschlagen, so daß mir eine Beule gewachsen ist," zog der Schimmel auf seinen Herrn los.

„Und jeden Tag läßt er uns 10 Stunden bei Eis und Kälte ziehen und dafür setzt er uns statt kräftigen Hafers schlechtes Heu vor," raisonnierte der Braune weiter.

„Mich zwickt's im Magen von dem schlechten Fressen und in den Beinen plagt mich die Gicht von dem vielen Laufen," klagte auch der Schimmel.

„Der Grobian, der Geizkragen verdient's nicht, daß wir ihm weiter dienen," fuhr der Braune fort.

„Ich vertrag' die Schinderei nicht länger und werde unsern Quäler bei nächster Gelegenheit mit meinem Hufe niederschlagen," wüthete der Schimmel.

Der Bauer hatte genug gehört und schlich sich an allen Gliedern bebend davon, um den Seinen von dem Schrecklichen zu erzählen. Doch wollte man ihm nicht recht glauben. Als er nächstens mit seinen Pferden ausfuhr, schlug ihn wirklich der Schimmel zu Boden, obgleich der Bauer jetzt seine Pferde besser behandelte. Lange war er bewußtlos und hütete sich von der Zeit an, da er wieder hergestellt war, seine Pferde zu viel zu schinden.

Im Salzathale herrscht vielfach der Brauch, während der Mette jeder Kuh eine Nuß zu geben.

Hat die Kuh gekälbert, so kriegt sie ein Glaserl Schnaps, etwas Bienenhonig, geweihte Kräuter und Rindsschmalz auf Brotschnitzeln, damit sie wieder auf die Beine kommt. Man heißt dies: „Weisat," Geschenk.

15. Was Brauch ist nach Geburt eines Kindes.

Kind zur Welt gekommen, so wird es in der Palfau wie allgemein üblich gebadet, wobei man aber ins Wasser verschiedene Sachen giebt und

zwar: einen Kupferkreuzer, mehrere Palmkätzchen,
einen Rosenkranz, ein geweihtes Bild und geweihte
Kräuter. Sodann wird das Kind geraucht, wozu
wieder verschiedene Bestandtheile, namentlich Weih=
rauch, Kümmel und Zucker herhalten müssen. Nun
folgt das „Einfatschen" (Wickeln), worauf das Kind
ein geweihtes Bild auf die Brust bekommt. Wenn's
endlich zur Taufe geführt wird, so näht man ihm
das „Krösen= oder Gödengeld" (Pathengeld) auf
der Brust ins Hembchen ein, und wenn schließlich
die Pathen und andere Theilnehmer an der Taufe
zu einem fröhlichen Schmause ins Wirtshaus
gegangen sind, dann muß der kleine Täufling auf
jeden Fall einen Löffel voll Wein kriegen, denn das
soll für dessen Zukunft sehr gut sein.

So lange die Mutter in „den Wochen" liegt,
muß sie sich streng nach gewissen Bräuchen richten,
denn als unrein ist sie nach der Meinung des Volkes
in der Gewalt des bösen Geistes. So darf sie sich,
sobald die Dämmerung hereingebrochen ist, nicht
mehr aus der Wohnung entfernen, ohne das Kreuz
zu machen. Doch trotz dieser Mahnung wagte es
einst eine junge Mutter, dem Volksglauben entgegen=
handelnd, ohne Kreuz und Segensspruch am Abende
aus dem Hause zu gehen. Aber sie kehrte auch am
folgenden Tage nicht mehr zurück und man sagte,
der Teufel habe sie geholt. Da ließ man in der
nächsten Nacht und an den folgenden zwei Abenden
das Fenster offen für den Fall, als sie doch noch

wiederkommen sollte. Und richtig kam sie an diesen
drei Nächten durchs Fenster in die Kinderstube zurück,
wie man's ja doch fast sicher voraus gewußt. Zuvor
waren alle, welche in der nur vom Monde beleuch=
teten Stube saßen und auf sie warteten, dahin vor=
bereitet worden, bei ihrem Wiedererscheinen ja um
Gotteswillen keinen Laut zu sprechen, sonst sei sie
unrettbar verloren. Als sie nun im Zimmer, wo
alles mäuschenstill versammelt war, erschienen und
man voller Spannung der kommenden Dinge war=
tete, schlich sie vorsichtig zu ihrem Kinde, nahm es
in ihren Arm, herzte und küßte es, worauf sie, den
Liebling wieder niederlegend, verschwand wie sie
gekommen. So gieng durch zwei Nächte alles gut
von statten, doch als die Unglückselige in der folgen=
den zum letztenmale erschien, da konnte es ihr ver=
laffener Mann nicht über's Herz bringen, zu schweigen.

„Nun bist wieder da, liebes Weiberl, Gott sei
Dank!" rief er voller Freude aus, glaubend, die
Geduldprobe sei nun vorüber.

Doch dem war nicht so, denn die Erschienene
verschwand für immer, in die jammernden Worte
ausbrechend:

„O weh, du hast mich vertrieben durch dein
Reden, nun ist's aus mit mir!"

Erst wenn die Mutter ihren vorgeschriebenen
Kirchgang verrichtet hat, wobei sie mit einer bren=
nenden Kerze vor der Kirchenthür auf den Priester
warten, von ihm in das Gotteshaus wieder einge=

führt und durch Segenssprüche von allem Bösen befreit werden muß, erst dann ist die Gewalt der finsteren Mächte von ihr gewichen.

Stirbt aber eine Wöchnerin, so zieht man ihr feste Schuhe an, damit sie sich beim Gehen über das dornige Feld, das sie durchwandern muß, nicht steche.

16. Auf der Hochzeit.

Wohl keine Festlichkeit wird mit solch' ungebundener Fröhlichkeit begangen, als eine Hochzeit in den Bergen, die, weil sie eben ein

frohes Ereignis im Menschenleben bildet, mit so über=
sprudelnder Luft gefeiert werden muß. Im beson=
deren soll hier eine Palfauer Hochzeit beschrieben
werden.

Sind die Brautleute arm, so macht sich die Braut
mit einer Bekannten auf den Weg nach der „Braut=
steuer“ und zwar sucht sie zunächst reiche Bluts=
verwandte und Freunde auf, um dann auch bei
anderen wohlhabenderen Häusern des Ortes vorzu=
sprechen.

„Z bitt gar schön um a Brautsteuer!“ so lautet
die kurze und doch so innige Bitte der Brautbe=
gleiterin.

Wer würde es da wohl übers Herz bringen, der
in dürftigen Umständen lebenden Braut, zumal, wenn
der Gebetene sein Schärflein im Trockenen hat —,
zu ihrem „Ehrentage“ eine milde Gabe als Brosamen
von seinem reichen Tische zu verweigern? Und wirklich
giebt so mancher, da hier die meisten ein gutartiges
Gemüth haben, mehr, als die Braut erwartet hätte.
Das Geschenk besteht in diesem Falle immer in
Geld.

Darauf gehen der Bräutigam und der „Hoch=
zeitsbitter“, einen mit Blumenstrauß geschmückten
Stock schwingend und einen ebensolchen Strauß
am Hute, zur Hochzeit bitten, wobei natürlich in
erster Linie die Verwandten und Bekannten, dann
aber auch andere Personen des Ortes, die ein be=
sonderes Ansehen genießen, eingeladen werden.

Ist alles zur Hochzeit gerichtet, so geht's paar=
weise unter Pöllerknall zur Kirche. Zuvor hat aber
die Kranzljungfer einen Liter Wein dahin getragen,
welcher später gebraucht wird.

Bei diesem Kirchgange ist an manchen anderen
Orten das sogenannte „Loskaufen" Sitte, darin be=
stehend, dass den Brautleuten mit Stangen und
Schnüren der Weg verstellt wird, worauf sie sich
durch eine Geldspende auslösen müssen[1]).

Nach der Trauung schenkt der Pfarrer aus der
gebrachten Weinflasche drei Gläschen voll, weiht den
Wein, giebt dann den Brautleuten mit den Worten:
„Es segne der hl. Johannes!" den gebräuchlichen
Johannessegen, worauf er, nachdem der Ministrant
der Braut und dem Bräutigam zwei Gläser über=
geben, mit ihnen anstößt und trinkt. Die Gläser dürfen
aber nicht ausgetrunken werden, sondern es muss
in jedem ein „Lackl" übrig bleiben. Hierauf reichen
die Getrauten ihre Gläser dem Beistand, der ge=
wöhnlich ein Wirt ist. Dieser schenkt dieselben wieder
voll und reicht sie den übrigen Hochzeitern.

Nachdem diese Förmlichkeit, die bei keiner Pal=
sauer Hochzeit fehlen darf, erfüllt ist, geht's aus der
Kirche, wobei der Beistand den restlichen Wein —
denn immer muss einer übrig bleiben — in die
Küche des Hochzeitshauses trägt mit den bezeichnenden
Worten: „Ich muss Krautsalzen geh'n!"

---

[1]) Die Sitte des Loskaufens existiert auch an vielen
anderen Orten Oesterreichs sowie auch in Deutschland.

6

Bei dem Weinreichen in der Kirche geschah's einem neuen Ministranten, der den Brauch nicht kannte, daß er das der Braut zu übergebende Glas unter Heiterkeit des einen und unter Mißmuth des andern Theils der Anwesenden austrank, in der Meinung, es gelte ihm.

Ist man vors Gasthaus, wo die Hochzeit ge= feiert wird, gekommen, so ist's Aufgabe der Braut, ihrem eben angetrauten Manne wie dem Wirte und Brautführer Schnupftüchl von gleicher Farbe in die Röcke zu practicieren, womit sie vielleicht ihre Frei= gebigkeit anzeigen will. Sodann begiebt sie sich sofort in die Gasthausküche, wo soeben die Wirtin am Herde gar emsig gesottenes Kraut in einem Topfe rührt. Kaum hat letztere die Eintretende bemerkt, als sie ihr auch schon den Krauttopf mit der Auf= forderung hinstellt:

> „Ich bitt' dich, Braut,
> Rühr' mir dies Kraut!"

welcher Bitte die Braut folgeleistet und damit be= kundet, daß sie bereits wohl zu kochen versteht. Nun bekommt das Küchenpersonal ein angemessenes Trink= geld.

Mancherorts kommt wieder das sogenannte Braut= stehlen vor. Während nämlich nach üblicher Sitte der Hochzeitszug sammt Musik von Gasthaus zu Gast= haus singend und tanzend herumzieht, so wissen die „Kranzlbuben" bei einem günstigen Momente die Braut in ein anderes, entfernteres Gasthaus zu

führen, oder sie zu stehlen und dort zu zechen. Der
Brautführer, der auf die Braut hätte achtgeben sollen,
muß dann die ganze Zeche dieser „Diebe" zahlen.

Beginnt nun das Hochzeitsmahl, so giebt's bei
einer reichen Hochzeit in der Palfau eine Anzahl von
Speisen, denn der Appetit der Landleute ist ein ge=
waltiger, und man will bei dieser Gelegenheit stets
eine große Auswahl von Gerichten und eine gediegene
Reihe von Leckerbissen. Die Art der Zubereitung
der Hochzeitsspeisen und ihre Schmackhaftigkeit würden
manchen Verwöhnten befriedigen. Zunächst kommt
Suppe mit Strudl und Bowesen, drauf Würste mit
Sauerkraut und auf diese Rindfleisch mit Semmel=
krenn. Nun folgen Lungerlsuppe, Schnierkrapfen,
Schweinsbraten mit Salat, kälbernes Eingemachtes
und Lämmernes gebacken. Dann kommt eine neue
Abtheilung, durch Suppe eingeleitet, nämlich: Zung=
suppe, Wildpret mit Butterkrapfen, Schober (Gugl=
hupf), Kalbsbraten mit Erdäpfel und Zwetschken,
Weinbudding, Zwetschkenpfeffer und Glaskrapfen.
Schließlich werden als letzte Speisen: Schmalzkoch,
gesulzte Milch und Bisquitentorten aufgetragen.
Dies Hochzeitsessen, das 10—12 Stunden bis in
den andern Tag hinein dauert, wird oft unter=
brochen, und die Zwischenpausen werden mit Tanz,
Gesang, Spaß und Unterhaltung ausgefüllt, um
dann, wenn man bei dem Herumgetummel wieder
Hunger bekommen hat, mit einer neuen Speiseab=
theilung anzufangen.

6*

In diesen Pausen sammelt der Wirt die auf die einzelnen Personen kommenden Antheile für's Essen, die bei einer ordentlichen Hochzeit 4—5 fl. betragen, denn jeder Theilnehmer muß sein Essen zahlen, nur ausgenommen die „Zu-Braut" und die „Kranzl-jungfern," denen ihre „Beisitzer" das Mahl begleichen. Diese erhalten dafür von ersteren bei den folgenden Tänzen eine solche Maße von duftigen Sträußen, daß der Hut beinahe darunter verschwindet. Schließ-lich bekommen die splendiden „Beisitzer" von den Schönen aus Dankbarkeit ein seidenes Tüchel, das ebenfalls am Hute befestigt wird. Für den Feschesten unter den Burschen hält man denjenigen, der das größte Tüchel und die hübschesten „Buschen" am Hute hat.

Darauf kommt die zweite Sammlung, die be-stimmt ist als Brautgeschenk oder „Weisat". Dann folgen einige Musikanten, die sich für das klingende Spiel ihren Lohn holen, worauf zum Schluße die Köchin mit einem riesigen Kochlöffel erscheint, um für sich und ihre Gehilfinnen in der Küche eine Geldspende zu erbitten. Nach jeder Spende spielt die Musik einen schneidigen Tusch, um so die Taschen der folgenden Geber noch mehr zu öffnen und dem Spender die gebührende Ehre zu erweisen.

Eine richtige Bauernhochzeit dauert in der Gegend immer gleich mehrere, oft acht Tage und noch länger, je nach Vermögen der Leute. Die Hochzeits-gäste ziehen, wenn die Lustbarkeiten sich dem Ende nahen, im Orte von Haus zu Haus, tanzen überall, bis sie im neuen Heim der Brautleute angekommen sind.

Die nicht unbedeutenden Ueberreste des Hochzeits= mahles nennt man das „Bschoadessen,“ welches die Gäste mit nach Hause nehmen und sich als Er= innerung an die freudvollen Tage der Hochzeit recht schmecken lassen.

17. Samsonumzug. Todtenbahrziehen. Stöhrgehen.

Nachdem wir das herrliche Salzathal verlassen, wenden wir uns der Gegend des oberen Mur= thales zu. Von Murau etwa in vier Stunden erreichbar

liegt der sehr romantische Ort Krakaudorf, wo be=
reits das Hochgebirge mit seinen grotesken Formen
beginnt. Hier sowie auch in der weiteren Umgebung
bis ins sogenannte Lungau hinein findet man noch
gar sonderbare Bräuche und Sitten und zwar Volks=
bräuche, von denen manche noch aus der fernen
Heidenzeit, aus der Zeit der alten Germanen stammen
mögen. Hier im unwirtlichen Gebirgslande, wo das
Volk vom großen Verkehre abgeschlossen und die
Welt daher — um einen landläufigen Ausdruck zu ge=
brauchen — mit Brettern vernagelt ist, hier konnten
sich die alten Gepflogenheiten des Volkes um so
länger und um so urwüchsiger erhalten. Man braucht
nur einen Berg zu überschreiten, der die Bewohner
des einen Thales von jenen des anderen wie durch
einen Riegel trennt, und hat schon wieder andere
Sitten, andere Eigenthümlichkeiten des Volkes vor
sich. Damit im Zusammenhange steht auch die That=
sache, daß sich oft die Bewohner verschiedener Thäler
eben wegen ihrer Eigenthümlichkeiten gegenseitig
nicht leiden können, ja daß sie einander spinnefeind
sind, einander aus dem Wege gehen, sich wegen
dieser und jener Gewohnheiten und Fehler verhöhnen,
auf einander Spottlieder dichten und Sprüche machen.
Es ist sogar manches Thal und manche Gegend im
ganzen Lande verschrieen, und wenn bei irgend einer
Gelegenheit sich jemand als der Bewohner eines
solchen Ortes zu erkennen giebt, so weiß man auch
gleich, wie viel's geschlagen hat und aus welchem

Holze er geschnitzt ist, kurz man weiß genug
von ihm.

Natürlich bringt es die Rauhheit so mancher
Gebirgsgegend mit sich, daß die Bewohner von einer
Rohheit sind, wie man sie in der milden, sonnigen
Ebene nicht findet.

Doch nicht darüber soll in diesem Kapitel ge=
schrieben, sondern vom Samsonumzuge in Krakau=
dorf gesprochen werden, den ich mitanzusehen Ge=
legenheit hatte. Man gelangt wie gesagt in diese
ganz abgelegene Ortschaft von Murau aus und zwar
durch ein romantisches, grünes Seitenthal, wobei
man die Dörfer Tratten und Ranten berührt. Das
Fest findet jährlich an dem Sonntage, welcher dem
Oswalditage folgt, statt. Kaum hatten wir Krakau=
dorf erreicht, als wir auch schon festliches Gepränge
wahrnahmen. Das von der Umgebung zusammen=
geströmte Landvolk, zumeist kernige, gutmüthige Leute
in ihrer kleidsamen Gebirgstracht, wogte in froher
Stimmung im Dorfe auf und nieder, und besonders
der Platz vor der Kirche um die verschiedenen Buden
war stark besucht, und erst in den Gasthäusern, wie
giengs da bunt durcheinander! Alle Fremden, haupt=
sächlich die besseren, wurden von den Einwohnern
scharf aufs Korn genommen und deren Namen zu
erforschen gesucht. Es hüteten sich aber die schon
Eingeweihten sorgfältig, denselben zu verrathen.
Endlich zogen unter lustig schmetternden Klängen
die Dorfschützen, wie sie hierzulande viele Gemein=

den besitzen, auf und rückten unter Halloh ins nächste
Wirtshaus. Schnell verflogen die Stunden, und bald
schlug es die zweite Nachmittagsstunde, die von allen
sehnsuchtsvoll erwartete Zeit, nach welcher der eigent=
liche Samsonumzug beginnen sollte. Nun rückten
die Schützen in ihrer malerischen Uniform unter
klingendem Spiele aus zur Kirche. Die Uniformen
sollen nach der Meinung der einen die der Napo=
leon'schen Krieger sein, als dieselben in Oesterreich
einfielen; im rechtlichen Kampfe mit ihnen habe man
die Uniformen erbeutet und zum ewigen Angedenken
an die Tapferkeit der steierischen Schützen aufge=
hoben, während wieder andere behaupteten, es seien
die Uniformen österreichischer Gardesoldaten aus dem
vorigen Jahrhunderte. Sei dem wie immer, die
Schützen repräsentierten sich recht malerisch mit ihren
schwarzbraunen Bärenmützen und in den dunkel=
grünen Waffenröcken mit den rothen Aufschlägen,
wobei die Röcke mit den nach rückwärts geschürzten
Ecken einen sogenannten „Schwalbenschweif" zeigten,
während über denselben der weiße „Kreuzüber=
schwung" prangte. Die breiten großen Epauletten
bestanden aus gelber Wolle, und die Beine stacken in
weißen Leinwandhosen. Die Chargierten trugen an
den Mützen Federbüsche und weiße Buschen, woran
auch noch anderer Aufputz prangte. Den Schluß
des auffallenden, prächtigen Schützenzuges bildete
der Schlosser mit einem „Büchsenwischer," womit
er, falls eines der alterthümlichen Gewehre nicht

losgieng, dasselbe fein auspußte. Auch trug er, die
alte Art so recht veranschaulichend, eine große Pulver=
tasche an der Seite, und es mußte jeder Schütze,
der seine Ladung verschossen, schleunigst zu ihm hin=
eilen, um von ihm eine neue Füllung in Empfang
zu nehmen. Der Schlosser seinerseits war sich der
ihm übertragenen Pflichten wohl bewußt und lief
mit ernster Miene bald dahin, bald dorthin, die
Gewehre, welche nicht knallen wollten, untersuchend
und reinigend. Endlich war alles in Reih und Glied
vor der Kirche aufgestellt, und der Nachmittagsgottes=
dienst gieng feierlich und unter einigen Salven vor=
über, worauf die Schützen unter klingendem Spiele
vors Pfarrhaus marschierten. Nun erschien der
Samson, der Held des Tages, nichts anderes, als
eine riesige, stockhohe Figur, die, phantastisch und
bunt aufgepußt, mit einem martialischen Barte aus=
gestattet, das Schwert in der einen und eine Helle=
barde in der anderen Hand tragend, einen alten
Krieger mit all seiner Kraft und Stärke darstellen
sollte. Getragen wurde die Gestalt von einem unter=
setzten Dorfbewohner, der unter den langwallenden
Kleidern Samsons gar nicht sichtbar war. Von zwei
chargierten Schützen begleitet tänzelte der Riese vor
die aufgestellte Colonne, mit jubelndem Geschrei und
schmetternden Klängen begrüßt.

Nachdem der Zug durch Ankunft des Samson
complet geworden, schritt der Schützenhauptmann
zum Herrn Pfarrer, ihm militärisch meldend, daß

man jetzt ihm zu Ehren eine Salve losbrennen
werde, was dem Meldenden natürlich ein schönes
Stück Trinkgeld eintrug. Nun krachte die Salve,
worauf der Hauptmann die Gäste des Pfarrers be=
suchte, sie verständigend, dass nun ihnen zu Ehren
geschossen werden würde. So gieng's weiter durchs
ganze Dorf: zum Lehrer, Postmeister, zu den Gast=
wirten und reicheren Inwohnern und schließlich
auch zu den Fremden, deren Namen und Aufent=
halt im Dorfe man schon früher herausgebracht
hatte. Dabei tanzte der riesenhafte Samson vor dem
Zuge, guckte vermöge seiner Größe in die ersten
Stockwerke, Gelächter und übermüthige Fröhlichkeit
hervorrufend. So vergieng der übrige Tag unter
Knall und ungebundener Lustbarkeit. Wer eine
Salve bestellte, oder sie freiwillig bekam, der musste
mindestens mit einem blanken Gulden „ausrücken,“
zahlte er mehr, was bei vielen der Fall war, so
war auch der Dank des Herrn Hauptmanns um so
schneidiger. Die Einnahme gehörte den Schützen, die
damit die Ausgaben für Pulver bestritten, den Rest
aber zur Stillung ihres allzeit großen Durstes ver=
wandten. Abends gieng die Lustigkeit erst recht los
und währte bis in die Früh hinein, denn, wenn sich
der Aelpler einmal vergnügt, so muss es auch hübsch
lange dauern, damit es „dafür steht“.

Das Samsonfest soll wohl eine Erinnerung an
längst entschwundene Zeiten sein, in denen noch
eine an Samson gemahnende Kraft und Größe in

der Bevölkerung strotzte und wo fast jeder als mannbarer Recke die Waffe führte, alle Angriffe auf Freiheit und Vermögen abmehrend.

Im Obermurthale wurde der unheimliche Brauch des Todtenbahrziehens vor noch nicht langer Zeit öfter betrieben, jetzt ist derselbe aber infolge behörd= lichen Einschreitens verboten. Derselbe bestand näm= lich darin, daß vier Männer eine Bahre in der Zeit zwischen 11 und 12 Uhr Nachts im Friedhofe um die Kirche herumtrugen. Beim ersten Umgang soll die Sache immer ganz gut gegangen sein, das zweitemal gieng's zwar schon schwerer, aber doch immer noch leidlich, während es das drittemal fast gar nie gelang, noch vor dem Schlage der Geister= stunde herumzukommen. Trotzdem sich alles immer beeilte, den dritten Umgang noch rechtzeitig zu be= werkstelligen, so mußte man doch in den meisten Fällen die Bahre unverrichteter Sache so schnell als möglich wegwerfen, um nur vor 12 Uhr aus dem Friedhofe zu kommen. Wehe aber dem, der diese Zeit versäumt hätte, denn es hätte ihn un= widerbringlich „geholt," wie die Leute sagen. Gelang aber der dreimalige Umzug zu richtiger Zeit und kamen die Männer noch vor der Geisterstunde her= aus, so war's sicher, daß ihnen das Glück etwas beschert habe, denn in diesem Falle mußte ein großer Topf voll Geld auf der Bahre stehen, so daß die Theilnehmer alle reich wurden.

Benöthigt der Landmann ein Paar Schuhe,
Kleidung oder Wäsche, so braucht er keinen Rohstoff
zu kaufen, denn diesen hat er ja zu Hause, indem
ihm beim Schlachten eines Stück Viehes die Haut
und von den Schafen die Wolle bleibt und indem
er ja auch Flachs genug zur Verfügung hat. Er
läßt also einfach die Handwerker, nämlich den
Schuster, Schneider und Weber ins Haus rufen,
nachdem er seine Häute beim Gärber hat verarbeiten
lassen oder am Ende gar selber nach seiner Art
gegerbt hat, in welch letzterem Falle der Stoff
natürlich auch darnach ausschaut. Dem Rufe des
Mannes folgeleistend, kommen also die geladenen
Gewerbsleute in sein Haus, oder sie gehen auf die
Stöhr. Treffen nun diese drei zufällig auf einmal
zusammen, so passiert's, daß, wie es der bekannte
steierische Dichtermeister so trefflich schildert, die
Stube zu klein und die Frage von dem sich
um Rath umschauenden Besitzer aufgeworfen
wird, wie die drei Werksleute wohl in dem einen
ihnen nur zur Verfügung stehenden Bette Platz
finden werden? Wie sollte da auch das Bäuerlein nicht
in arge Verlegenheit gerathen? So wird beim
Kommen der Stöhrleute die Bauernstube bald eine
Universalwerkstätte, der Schuster hämmert drauf
los, näht und nagelt fast eisenfeste Bergschuhe, der
Weber läßt an seinem Stuhle sein Schifflein mit
blitzartiger Geschwindigkeit hin= und hersausen, die
Wolle von schwarzen und weißen Schafen oder aber

Garn zu einem festen Gewebe verbindend, und auch der Schneidermeister mißt, schneidet und stichelt drauf los, daß es eine helle Freude ist, zuzuschauen. Wie ich von Einwohnern hörte, existiert das „Stöhrgeh'n" noch in manchen Gegenden der Steiermark. Freilich bringt es die Cultur und der wachsende Verkehr mit sich, daß auch das „Stöhrgeh'n" langsam abnimmt. Die Leinwand und die „G'wandl" lassen an Haltbarkeit nichts zu wünschen übrig. Haben die muntern „Stöhrleute," die sich die Arbeit mit „g'spaßigen" Discursen und tönenden „G'sangeln" vertreiben, ihr Werk vollbracht, so folgt der klingende Lohn und extra noch der „Stöhrlaib" als Draufgabe. Ist aber dieser dem einen oder andern nicht recht, so braucht er bloß seinen Mund aufzuthun und dies dem Bauer zu sagen, der ihm dann den Laib zu einem angemessenen Preise abkauft. So haben die „Stöhrleute" bald hier, bald dort zu thun und bringen Leben und — neue „G'wandl" in die Gehöfte.

18. Die Rettung des Verbrechers.

$\mathfrak{D}$ort, wo Mur=
und Katsch=
thal zusammen=
treffen, liegt die sogenannte Drachenhöhle. Was die
Sage darüber erzählt?

Mit all ihrer Romantik liegt die alters=
graue Stadt vor unseren Blicken, bespült von
der wild brausenden Mur, die in ihrem engen
Felsenbette für ihr aufschäumendes Temperament
des Raumes zu wenig findet. Hoch ober der Stadt
trotzt die mächtige, herrliche Burg, im Besitze eines
nicht minder starken, kühnen Geschlechtes. Soeben
durchbricht die liebe Sonne mit ihren siegreichen
Strahlen die sich im Thale lagernden Morgennebel,
uns die volle Pracht der Landschaft zeigend. Da
nähert sich ein sonderbarer Zug der Stadt, ein Zug,
der in seiner Mitte einen Verbrecher birgt, welcher
zum Gerichte geschleppt werden soll. Bereits ist man
zur Stelle gekommen, wo sich ein stattliches Sommer=
haus befindet und das städtische Weichbild mit seinen
Mauern und Thürmen beginnt. Der Zug macht
halt und entsendet den Schreiber des Landgerichtes,
welches über den Verbrecher den Spruch und das
Todesurtheil gesprochen hat, mit einigen Begleitern als
Vertretern dieses Gerichtes zum Rathhause der Stadt.

„Sehr hoher, hochweiser Stadtrath! Wir bitten
um Erlaubnis, den Verbrecher Gandlfinger durch
Eure Stadt zum Hochgericht führen zu dürfen,“
wandte sich der Landschreiber an den Bürgermeister.

„Ihr bittet um Durchzug? Er sei Euch gewährt!
Nur müßt Ihr Euch das neuerliche peinliche Ver=
fahren der Stadt gefallen lassen, das der zeitliche
Stadtrichter durchführen wird,“ erwiderte der Hoch=
weise.

Alsbald schritt der Landschreiber mit dem Stadt=
richter und einigen seiner Räthe der Stelle zu, wo
der Zug vor der Stadt harrte.

„Ich überantworte Euch hiemit den Räuber
gegen das Versprechen späterer Rückgabe," wandte
sich der herrschaftliche Oberbeamte an den Stadt=
richter und seine Begleiter.

„Von Seite der Stadt wird genannter Ver=
brecher dem gegenwärtigen Landgerichte zur Ver=
nehmung des geheimen Urtheiles hiemit abgenom=
men und wird derselbe, nachdem über ihn im offenen
Schrannengerichte das Urtheil der Stadt gesprochen
worden ist, wieder dem Landgerichte am Stadtthore
zur weiteren Execution übergeben werden," ent=
gegnete der Stadtrichter in hochtrabendem Tone.

Kaum hatte er geendet, als der Stadtdiener den
Verbrecher übernahm, indem er ihm städtische Eisen
anlegte und ihn aufs Rathhaus führte. Hier waren
bereits sämmtliche Räthe, nachdem sie von der Sache
in Kenntnis gesetzt worden waren, versammelt. Nun
trat der Bannrichter, nämlich der Richter der Herr=
schaft, vor und verlas mit lauter Stimme die Ver=
brechen des Räubers.

„Und nun sag, Gandlfinger, bist du der Aus=
sage, die du bereits bei dem hohen Landgerichte ge=
macht hast, noch geständig?" frug er dann mit ein=
dringender Stimme.

„Ich habe nichts weiter zu bekennen, als das,

7

was ich bereits beim früheren Gerichte gestanden habe," rief der Gefragte trotzig.

„Gut, das heißt also so viel, als: du bekennst dich als den Räuber, als den du dich bereits beim Landgerichte bekannt hast?"

„Ich will meine That nicht leugnen!" gab der Verhörte zu.

Nach mehreren nebensächlichen Fragen ward der Verbrecher abgeführt, nachdem der Schreiber mit klarer Stimme das herrschaftliche Urtheil abgelesen, welches darauf hinauslief, daß der Räuber des Todes schuldig sei.

„Erkläret jetzt, ihr Herrn Räthe, ob ihr gegen das Urtheil etwas einzuwenden habt?" frug der Bannrichter feierlich.

Alle Räthe antworteten mit nein. Darauf brach man entblößten Hauptes und unter großer Feier= lichkeit zur offenen Schranne, dem öffentlichen Ge= richtsplatze der Stadt, auf. Daselbst angekommen übergab der Stadtrichter dem Bannrichter ein Stäb= lein und sprach die Worte:

„Sintemalen, Herr Bannrichter, bei der Stadt vom herrschaftlichen Landgerichte ein peinliches Gericht gedungen worden ist, so habe ich als Stadt= richter Euch zur Ausübung des Urtheiles den Stab übergeben."

Der Bannrichter entblößte seinen Degen.

„Sagt, ist auch das gegenwärtige, peinliche Ge= richt mit tauglichen Beisitzern versehen und besetzt?"

stellte dieser sodann die Frage, sich an die Umgebung wendend.

Darauf gab jeder der Gerichtsbeisitzer seine eigene Antwort mit den Worten:

„Ich finde, daß dieses anheunt aufgestellte Gericht nach der allgemeinen Halsgerichtsordnung recht und mit genugsam Beisitzern besetzt ist."

Nunmehr las der Bannrichter die Sündenlitanei des Verbrechers vor dem gesammelten Volke vor.

„Jetzt gestehet frei und offen, ob Gandelfinger das Leben verwirkt habe, oder nicht?" frug schließlich der Bannrichter.

„Nach abgefaßtem hohen Urtheile soll gegenwärtiger Verbrecher des verübten Raubes halber zur Strafe und zum warnenden Beispiele anderer in des Freimanns*) Hand gegeben und hingerichtet werden!" antwortete der Stadtrichter im Namen seiner Räthe.

Endlich ward das Urtheil zum letztenmale vom Bannrichter allgemein publiciert und dann der Stab über den Unglücklichen gebrochen, worauf das Armensünderglöcklein seine wimmernden Töne vernehmen ließ. Der Verbrecher wurde auf den bereit gehaltenen Wagen gesetzt, worauf sich der Zug wieder zur Stadt hinaus in Bewegung setzte, der Richtstätte zu. Beim Thore wurde der Räuber wieder förmlich dem Landgerichte übergeben, und der Stadtdiener bekam für

---

*) Scharfrichters.

7*

seine Mühe einen blanken Gulden, während der
Stadtrichter sammt den Räthen als Entgelt für ihre
Anstrengung die Einladung zur Tafel ins Schloß
erhielten, wie es schon so Brauch war.

Unterdes war ein heftiger Wind losgebrochen,
der sich schließlich zu einem fürchterlichen Sturme
steigerte und schwarz zusammengeballte Wolken ins
Thal hereinfegte, so daß allen ob des dräuenden
Unwetters beklemmt ums Herz wurde.

„Der Drache kommt, der Drache vom Katsch=
thale kommt!" schrie entsetzt ein altes Weib auf,
als es wiederum eine finstere, langgestreckte Wolken=
masse hereinfegte, aus der die Blitze schrecklich zuckten,
der Donner fürchterlich krachte und aus der sich
strömender Regen ergoß.

Panischer Schrecken ergriff alle in dem sich
dahinwälzenden Zuge, jeder trachtete in eine Be=
hausung zu kommen, und die Execution mußte ver=
schoben werden. Der Schreckensruf jenes Weibes
hatte viele der leicht= und abergläubischen Menschen
mit Furcht und Angst erfüllt. Das Unwetter hauste
entsetzlich, der Regen zerriß Wege und Straßen,
überschwemmte Häuser und Felder, riß kleine Land=
strecken mit, und die angeschwollene Mur brauste
und donnerte so wild dahin, wie man es noch nicht
gesehen hatte. Als das Wetter oder vielmehr die
Katastrophe vorbei war, übersah man den ganzen
Schaden. Man raunte sich angstvoll allerlei über
den Drachen zu, von dem jenes Weib gesprochen

und den man so unwillkürlich mit dem Unwetter
in Verbindung brachte. Es hieß auch, daß das Un=
gethüm, das in einer Höhle an der Römerstraße in
der Nähe des Katschthales hause und das schon
viele leibhaftig gesehen haben wollten, wieder mehrere
friedliche, nichtsahnende Wanderer zum Frühstücke
verspeist habe. Da auch ein Bewohner der Stadt
bei der Wetterkatastrophe plötzlich verschwunden war
— er hatte wahrscheinlich in den wilden Fluten
der Mur seinen Tod gefunden — so schrieb man
auch dieses Opfer ins Sündenregister des Drachen,
gegen den sich der Unwille des Volkes wendete.
Man müsse ihn tödten und koste es, was es wolle,
beschloß man. Doch war es noch eine Frage, wer
denn eigentlich das Heldenwerk vollbringen werde,
denn keiner von den Stadtbürgern getraute sich an
diese gefährliche Arbeit, die ein förmliches Herkules=
werk sei, bei welchem der Held am Ende noch mit
Haut und Haaren in dem unersättlichen Rachen
des fürchterlichen Ungethümes verschwinden könne.
Da kam einer — es war kein Einheimischer — auf
einen gescheidten Gedanken, er meinte nämlich, man
könne ja den zum Tode verurtheilten Verbrecher,
dessen Execution ja gerade durch das Unwetter
gestört worden sei, als Todtschläger des Drachen
verwenden, und wenn er dabei den Tod finde, so
sei es kein Schade, er habe ja ohnehin sein Leben
verwirkt. Erlege er aber den Drachen, so sei dies
eine solche That, die es verdiene, daß man dem

Verurtheilten das Leben schenke, indem ja durch
Tödtung des Ungethüms vielen anderen das Leben
erhalten bleibe, ganz abgesehen von der Hintanhal=
tung anderen Unheils. Das leuchtete den guten
Leuten sofort ein, und sie brachen ob des klugen
Einfalles des Fremden in jubelnden Beifall aus.
Der sehr weise Stadtrath, welcher sich prahlte, noch
nie in einem erhobenen Beschlusse gefehlt zu haben,
entschloß sich, den ihm klug dünkenden Rath des
Fremden auszuführen, erwirkte vom Landgerichte
die Ueberlassung des Verbrechers zu dem vor=
geschlagenen, hochwichtigen Zwecke, wozu letzteres
Gericht, da es ja alles eins sei, wie der Uebelthäter
seinen Tod finde, auch beistimmte.

Gandelfinger, ein Mann von gewaltiger Kraft
und Stärke, athmete auf, als ihm der weise Beschluß
des Stadtmagistrates mitgetheilt wurde.

„Den Drachen soll ich ihnen erschlagen? Hahaha!
Wenn's weiter nichts ist!" murmelte der Kraft=
bewußte.

Man brachte also Gandelfinger, dem noch mehrere
unerschrockene Beihelfer beigegeben wurden, in die
Gegend, wo das Ungethüm hauste. Und in der
That erlegte der Mann, wie die Volkssage erzählt,
den schrecklichen Drachen, gerade als derselbe am
wenigsten zu sterben vermuthete, und zwar in dem
Momente, als er gerade nach Verspeisung eines
Stück Viehes in seiner Höhle verdauend sein Mit=
tagsschläfchen hielt. Der Glückliche brachte dem hoch=

weisen Magistrate sogar die Haut des erlegten
Drachen, welche die nicht wenig erfreuten Stadt=
väter sofort als die des erbeuteten Ungethümes aner=
kannten und wie ein seltenes Stück lange aufbe=
wahrten. Wenn dieselbe heutzutage im Rathhause
der Murstadt nicht mehr aufbewahrt wird, so wird
der Grund wahrscheinlich der sein, weil sie von
Motten schon längst zerfressen ist.

Gandelfinger erhielt vom Stadtrathe eine groß=
artige Belobung, reiche Geschenke und was die
Hauptsache war, sein Leben. Er lebte noch lange in
der Stadt, von jung und alt als Drachentödter
verehrt. Nur einem seiner besten Freunde soll er
verrathen haben, daß die gebrachte Haut gar nicht
von einem — Drachen herrühre. Und wenn man
ihn als Befreier aus Drachennoth pries, so hatte
er dafür immer ein eigenthümliches Lächeln, das die
guten Leute als Freude über den Drachentod aus=
legten.

19. Der Zauberer vom Stolznalpl.

Steigt man auf eine Höhe bei Teu=
fenbach, so sieht man im Hin=
tergrunde des prächtigen
Murthales, wo sich der Strom wie ein Silberband in duftig grüner
Au schlängelt, hinter der weiß herüberblinkenden
Ruine Katsch eine höhere Gebirgsgruppe zackig und

spitzig sich hinziehen, dessen eine Spitze das Stolzn=
alpl heißt. Von diesem wissen die Leute allerhand
zu erzählen, besonders, daß sich hier zu gewissen
Zeiten ein geheimnisvoller Zauberer aufgehalten und
sein Wesen getrieben habe.

Eines Tages gieng ein gewisser Birkstaller, den
Stutzen auf der Achsel, das kecke Hütl mit der
Schneidfeder auf dem Kopfe, mit einem tüchtigen
Bergstock in der Hand, den Hund an der Seite und
lustig das Pfeiferl schmauchend, diesen Berg hinan,
um eine Gemse, einen Hirschen oder etwas anderes
zu schießen. Je höher er stieg, desto wohliger ward's
ihm ums Herz, denn immer würziger und reiner
ward die Luft, und zuletzt stieß er gar, seinem
Wohlgefühle Ausdruck gebend, sehr weittönende
Jauchzer aus, die an den mächtigen Bergwänden
widerhallten, so daß es nur so eine Art hatte.
Da hörte er ein Geräusch ober sich in den Ästen,
als ob ein Vogel davonfliege. Hinaufblicken und den
Stutzen an die Backe setzen war eins, doch konnte
er, da ihm die dichten Zweige hinderlich waren, noch
nicht schießen, weshalb er auf eine etwas freiere
Stelle trat, von wo aus er einen ungeheueren Adler
erblickte, wie er in dieser Größe noch keinen gesehen
hatte. Jetzt setzte er abermals das Gewehr an und
traf den in mächtigen Kreisen auffliegenden Vogel.
Wie erstaunte aber der Schütze, als er sich seine
Beute näher besah, denn es war nicht mehr der
Adler, auf den er geschossen, sondern ein Mensch,

ein wirklicher Mensch, den er in dem davonfliegenden
Adler erlegt hatte. Grauen und Schrecken befiel den
Schützen ob dieser unheimlichen Verwandlung des
Vogels. Als er sich von seinem Entsetzen erholt
hatte, untersuchte er den vor sich liegenden Mann,
sah aber, daß demselben nicht mehr zu helfen sei.
Bei Visitierung der Kleider, die er deshalb vornahm,
um die Herkunft des merkwürdigen Todten zu er=
forschen, fand er in einer Seitentasche ein voll=
ständiges Besteck aus Silber: Löffl, Gabel und
Messer, wie man's zu der Zeit, wenn man eine
Reise machte, stets mitzutragen pflegte. Diesen Fund
nahm der Schütze, um das Geheimnis des Todten
zu entdecken, mit sich und eilte, von dem Orte zu
kommen, wo er so Schauerliches erlebt. Lange ließ
es ihm keine Ruhe und immer wieder peinigte ihn
der Gedanke, einen Menschen getödtet zu haben,
wenn er sich auch sagen mußte, daß er es unab=
sichtlich gethan. Nicht lange darnach kam Birkstaller
in eine Stadt und kehrte in einem Gasthause ein.
Er ließ sich zu trinken und zu essen geben und nahm
jenes Besteck, welches er als den Schlüssel zu jenem
unheimlichen Räthsel stets mit sich trug, heraus.

„Sagt mir Mann, um Gotteswillen, wo Ihr
das Besteck, das ich nur zu gut kenne, her habt?"
frug die Frau Wirtin in großer Aufregung, als sie
die Eßwerkzeuge ihres Gastes erblickte.

Birkstaller erschrack unwillkürlich.

„Wo ich das Zeug her hab'?" entgegnete er stockend.

„Bekennt es nur, Ihr habt —" schrie sie, ohne
den Satz vollenden zu können, da er ihr in die Rede fiel.

„'S ist eine sehr böse Geschichte damit, verlangt
es lieber nicht zu wiss'n".

„Wißt Ihr, wem das Besteck gehört hat?" rief
die Wirtin in höchster Aufregung.

„Das möcht' ich wirklich gern wiss'n!"

„So hört es also: meinem Manne hat's gehört,
ich kenn's ganz genau!" schrie sie den Gast an.

Birkstaller war jetzt noch mehr erschrocken und
konnte momentan gar nicht antworten.

„Ja, meinem Manne hat's gehört und nun be=
kennet, wie Ihr es an Euch gebracht", rief sie in dem
Tone eines Richters.

„Nicht möglich, wie käm' denn der Geier zu
Eurem Manne?" frug er erstaunt, nachdem er wieder
zu Worte gekommen war.

„Der Geier? Was meint Ihr da?"

„So laßt Euch doch erzählen, wie die Sache
war" sprach er und erzählte sein Erlebnis am stolzen
Alpl der Wirtin, die entsetzt war und in Thränen
ausbrach. Endlich ermannte sie sich.

„O mein Gott, da habt Ihr also meinen Mann
erschossen, der jährlich einmal auf das stolze Alpl
zu gehen pflegte, um dort Gold und Silber zu
suchen und seine Zaubereien zu treiben. Ich hab
ihn seitdem nimmer geseh'n," rief sie schmerzlich aus.

„Ich kann wirklich nichts dafür, daß ich in dem
großen Geier Euren Mann erschoß," betheuerte er.

„Nun macht Euch, da Ihr an dem Tode meines Mannes schuld seid, auf Schlimmes gefasst," drohte sie.

Birkstaller bat nun sehr flehentlich, sie möchte ihn doch um Gotteswillen nicht verrathen, da er ja doch eigentlich unschuldig sei. Endlich versprach sie auf seine eindringenden Bitten, reinen Mund zu halten, doch müsse er ihr dafür das Besteck ihres Mannes, welches nach ihrer Meinung noch Glück bringen müsse, überliefern, was denn auch geschah.

Erleichterten Herzens schied endlich Birkstaller und zog nach Hause, wo ihm erzählt wurde, dass man den Zauberer vom stolzen Alpl, welcher die Leute so oft erschreckte, unlängst im Walde todt auf= gefunden und begraben habe. Birkstaller aber hütete sich wohl, zu sagen, wer denn eigentlich die Ursache an dem Tode des Zauberers sei.

20. Das unheimliche Haus. Der letzte Gefangene.

Von Teufenbach, der lieblichen Landschaftsperle des oberen Murthales, wo so frische, duftgeschwängerte Lüfte wehen, führt uns ein herrlicher Weg längs

des klaren, brausenden Baches hinan in noch
luftigere Höhe. Steil geht es durch harzigen Nadel=
wald gegen die hochgelegene Station Sanct Lambrecht,
die eine ungemein abwechslungsreiche Umgebung hat.
In südlicher Richtung gegen Neumarkt zu dehnt sich
vor dem Blicke ein welliges Waldmeer, köstlich an=
zuschauen. Ringsum liegen kleine Ortschaften und
zerstreute Gehöfte, darunter auch ein edelsitzartiges
Gebäude, das vor Jahren von allen gemieden wurde,
denn man wußte es weit und breit, daß hier ein
Geist sein Wesen treibe.

Jeder mied es besonders bei Nacht und machte
lieber einen großen Umweg. Da kam eines Abends
ein kecker, schneidiger Jäger des Wegs, der, in der
Gegend unbekannt und dem Schilde folgend, in eben
dem Hause, wo man auch Herberge fand, einkehrte.
Man nahm ihn freundlich auf, gab dem Ermüdeten
zu essen und zu trinken und wies ihm schließlich
ein einfaches Lager an.

„Na, habt Ihr denn kein besseres Zimmer im
Hause? Ich kann's zahlen," meinte er.

„Ja, wir hätten schon was Besseres, aber dort
ist's halt nicht geheuer," meinte der Wirt geheimniß=
voll thuend.

„Was, nicht geheuer? Warum nicht gar?" ent=
gegnete der Jäger ungläubig.

„'S ist wirklich so, denn die Geister spuk'n schon
lange in dem Zimmer herum, und jeden hat's noch

vertrieb'n," sagte der Herbergsvater in einem Tone, der keinen Zweifel übrig ließ.

Der Jäger brach in ein übermüthiges Gelächter aus.

„Was ihr doch für furchtsame Leute seid, die ihr überall Geister und Gespenster seht," platzte er heraus.

„So probiert's nur, wenn Ihr's nicht glaubt," erwiderte der Wirt, den der verwegene Ton des Jägers ärgerte.

„Ja ich will's versuch'n, und wenn tausend Gespenster erscheinen," trotzte der Jäger.

„Der Spuk wird Euch vertreiben, wie er die übrigen vertrieben hat," sprach der andere zuver= sichtlich.

Der Jäger übernachtete also in dem großen, saalartigen Zimmer, das, prächtig ausgestattet mit Geweihen, Malereien und Bildern, einen sehr be= haglichen Eindruck machte. Er lud sorgfältig sein Gewehr, stellte es zum Bette, legte sich nieder und schlief bald so ruhig ein, als ob er in Abrahams Schoße läge. Er hatte nicht lange geschlafen, als er — es war gegen Mitternacht — plötzlich durch einen furchtbaren Lärm aufgeweckt wurde.

Er sah durch die Zimmerthüre, die er absichtlich offen gelassen hatte, eine Gestalt hereintreten, welche ganz weiß gekleidet war, eine Haube auf dem Kopfe hatte und eine brennende Kerze in der Hand trug.

Das Antlitz war nicht sichtbar. Die unheimliche

Gestalt machte allerlei geisterhafte Sprünge und
Bewegungen und einen fürchterlichen Lärm. Der
Jäger hatte, obwohl er im ersten Augenblicke etwas
verblüfft war, doch seine Fassung nicht verloren.

„Halt, steh sofort stille!" commandierte er, das
Gewehr an die Backe reißend.

Der Geist mochte eine solch kühne Begegnung mit
einem Erdenmenschen nicht erwartet haben und
stand wirklich stille, wobei es dem verwegenen Jäger
schien, als ob die Gestalt zittere.

„Und jetzt sofort entpuppen, oder ich gebe Feuer!"
schrie er das Gespenst an.

Das Gespenst zitterte jetzt noch mehr und zwar
diesmal ganz auffallend, besonders die Kerze schwankte
hin und her.

„Nun wird's werden, schnell, oder —" schrie
der Jäger drohend.

Das Gespenst warf Kleid und Haube ab, und
vor dem erstaunten Jäger, der bereits sein mitge=
brachtes Licht angezündet hatte, stand bebend und
zitternd ein ältlicher Mann, der von den allarmier=
ten und herbeigeeilten Hausleuten als der benach=
barte Schneider erkannt wurde.

„Ah, da schaut's das an, wer hätte das geglaubt!"
riefen sie ein ums andermal erstaunt aus.

„Hab ich's nicht gesagt, daß ihr abergläubische,
furchtsame Leute seid?" rief der muthige Jäger
triumphierend aus. „Du aber, Alter, wirst deine
Lust zum Geistern wohl verloren haben und bereite

dich bald auf deine Strafe vor," rief er dem
Schneider zornig zu, welcher vor Angst kein Wort
hervorbringen konnte.

„Schon 15 Jahr' ist's her, daß er hier umgeht
und die Leute erschreckt," riefen die Leute erbittert
aus, die, wenn ihnen der Jäger nicht zugeredet, den
Schneider arg durchgeprügelt hätten.

Der geisternde Schneider ward alsbald wegen
nächtlicher Ruhestörung dem Gerichte übergeben.
Er fand für seine fünfzehnjährige Geisterthätigkeit
den wohlverdienten Lohn und hatte nun Zeit zum
Nachdenken, daß es nicht geheuer sei, der undankbaren
Menschheit unentgeltliche Gespensteraufführungen bei
Nacht zu geben.

Oberhalb des romantisch gelegenen Teufenbach
thront 1200 m hoch in geradezu malerischer Lage
die herrliche Ruine Stein, die weit in die sich
kreuzenden Thäler hineinlugt, besonders aber weit
ins idyllische Murthal hinausschaut, durch welches
sich der rauschende Fluß zieht, wo üppig grüne
Auen mit dunklen, duftigen Wäldern und saftigen
Almen abwechseln, in jenes Thal, zu dessen Seiten
auf luftigen Höhen so viele zerfallene Burgen und
Denkmäler alter Zeiten liegen und dessen Hinter=
grund die Spitzen der Alpen bilden. Steil geht der
Weg zur Ruine Stein hinan, bis wir, oben ange=
langt, die gewaltige, theils in Trümmern liegende

8

Burg unmittelbar vor uns haben. Welch ein eifernes Geschlecht muß hier dereinst gehauft haben, welch ein Geschlecht, das einen solchen Riefenbau herstellte, bewohnte und vertheidigte! Die Burg war wegen ihrer hohen Lage und der starken Befestigung ein vorzügliches Bollwerk in den unruhigen Zeiten des Fauftrechtes und diente auch graufamen Raubrittern zum Aufenthalte. Diese verlangten von den reichen Kaufzügen, die vorher schon von andern Raubburgen ordentlich geschröpft worden waren, einen hohen Zoll oder plünderten sie ganz aus. Ja die Ritter von Stein hatten sogar mit den Herrn vom Buxer Loch, der Burg Saurau und denen von Katsch Bündniffe geschlossen, welche sich auf die gemeinfame Ausraubung oder auf das Ueberlaffen eines Theiles der Beute bezogen. Stein troßte wie ein Geierhorst in feiner Höhe und konnte allen feindlichen An= schlägen mit Erfolg die Stirne bieten. Einer der letzten Ritter war ein graufamer, harter Mann, deffen Inneres auch von Stein zu fein schien, da er keiner edleren Regung zugänglich war, während feine Ehegemahlin, menfchenfreundlich und tugendhaft, das gerade Gegentheil von ihrem Manne bildete. Befonders strenge verfuhr der Ritter mit feinen robotpflichtigen Unterthanen, über die er beim ge= ringsten Verfehen die graufamsten Strafen verhängte. Dies zeigte sich so recht wieder bei der folgenden Gelegenheit. Eines Tages hatte nämlich der Forst= wart des Ritters einen Bauer namens Berglober

gerade dabei ertappt, wie derselbe aus dem weitge=
dehnten Forste, dessen Wild unermeßlich war, einen
erlegten Hirsch nach Hause trug. Berglober warf,
als er sich ertappt sah, die reiche Beute schnell von
sich und lief, was er laufen konnte, dem Gefürchteten
zu entkommen. Doch dieser schickte ihm die Häscher
nach, welche bald den Jagdfrevler in die Burg vor
den Ritter von Stein brachten.

„Gestrenger Herr, hier ist der Mann, welcher
Eurem Gebote zum Trotze nach Hirschen jagte und
der nun der gerechten Strafe harrt.“

Mit diesen Worten übergaben die Häscher den
Gefangenen dem peinlichen Gerichte des Ritters.

„Hast du nicht gewußt, daß dir das Jagen
verboten ist?“ schnauzte der letztere Berglober an.

„Verzeiht, gestrenger Herr Ritter, was ich ver=
brochen, denn die Noth trieb mich dazu. Ich habe
Weib und Kind zu Hause, und kann sie nicht fort=
bringen, da mir das vorjährige Unwetter alle
Frucht meines Schweißes zerschlagen hat,“ bat und
klagte der Gefangene.

„Aha, und da fandest du also den Ausweg, mein
Wild zu stehlen? Doch warte Bursche, das soll dir
theuer zu stehen kommen,“ brüllte der Ritter
wüthend.

„Habt Erbarmen, Herr, wenn nicht mit mir,
so doch mit den meinen, die ohne mich dem Elende
preisgegeben sind,“ bat der Angeklagte.

8*

„Schweig mit deinem Gejammer!" herrschte ihn der Gestrenge an. „Ihr aber," wandte er sich an die Häscher, „werft mir den Frevler in den Thurm, auf daß er die gebührende Strafe finde."

Der Bauer erbleichte, als er von dem Thurme hörte, denn der war ja der Inbegriff aller Schrecken für jeden.

„Ich beschwöre Euch bei Gott und bei allem, was Euch heilig ist, nehmt mir all mein Hab und Gut, laßt mich lebenslang die härtesten Knechts= arbeiten verrichten, aber verschont mich vor dem Thurme," jammerte der Arme.

„Vorwärts in den Thurm!" befahl der hart= herzige Ritter.

„Herr, laßt mich lieber gleich tödten, wenn Ihr Rache haben wollt, doch erspart mir die Schrecken des Thurmes," schrie der Gefangene.

Vergebens, der Ritter blieb bei seinem Befehle. Man brachte also das Opfer in den Thurm, wo seiner der Hungertod harrte. Einst hatte man die Verbrecher von oben in den Thurm geworfen, in dessen Innerem viele Eisenspitzen befestigt gewesen waren, an denen sich der Hineingeworfene buchstäb= lich zerriß, um qualvoll zu enden. Wenn auch Berglober dieser entsetzliche Tod erspart blieb, indem man ihn nicht hinunterwarf, sondern durch eine Seitenthüre hineinschob, so harrte seiner doch noch immer des Schauerlichen genug, nämlich, wie er bald erfuhr: Finsterniß, dumpfe, feuchte Luft und

ſchreckliche Verlaſſenheit. Er fühlte ſich bereits als
lebendig Begrabener und überließ ſich ſeinen ver=
zweifelten Gedanken, doch war er nicht ſo verlaſſen,
als er glaubte, da die mitleidige Burgherrin für
ihn vorläufig ſorgte. Sie befahl nämlich einer Kuh=
dirn, dem Gefangenen verſtohlener Weiſe Eßwaren
zukommen zu laſſen, welchem Auftrage die Magd
dadurch gerecht wurde, daß ſie dem Eingekerkerten
jeden Abend ein Gefäß voll Milch heimlich hinab=
ließ, womit Berglober ſein Leben friſtete. Dies
dauerte volle 7 Jahre. Da ſtarb die gutherzige Burg=
frau und die Magd kam von der Veſte weg. Der
Gefangene, für den die nächtlichen Milchſendungen
aufhörten, erlag bald darauf dem grauſamen Hunger=
tode.

Kurze Zeit nach dieſen Geſchehniſſen ward die
Burg erobert und gebrochen, wobei der hartherzige
Ritter elend ums Leben kam. Noch jetzt ſoll ſein
klagender Geiſt in finſteren Nächten im ſchauerlichen
Thurme erſcheinen, denn die verübten Grauſam=
keiten laſſen ſelbſt dem Todten im Grabe keine Ruhe.

21. Chalons, die Frankenburg.

Karl der Große,
der helden=
hafte, mächtige Herr=

ſcher des tapferen Frankenvolkes hatte die Schlacht
gegen die Sachſen, gegen ein äußerſt kriegeriſches
Volk, geſchlagen. Von den unwiderſtehlichen Waffen
der Gallier lagen die widerſpenſtigen Feinde aufs
Haupt getroffen darnieder, in ohnmächtiger Wuth
der Befehle des verhaſsten Siegers gewärtig. Der
große Karl zögerte nicht, die glänzende Heldenthat,
umjubelt von ſeinem lorbeerbekränzten Heere, unter
vielem Gepränge zu begehen. Mit ſeinen tapferſten
Kriegsmannen ſaß er beim frohen Siegesmahle.

„Nun ſchenk mir nochmals meinen Humpen
voll, mein lieber Charlot, denn groß war die Arbeit
des Kampfes,“ ſprach Karl zu ſeinem Mundſchenken.

Der Edelknabe und Liebling des mächtigen
Frankenherrſchers, Charlot von Chalons, ſetzte den
vollen Humpen vor ſeinen durſtigen Herrn, der den
lieben Getreuen freundlich auf die Achſel klopfte.

„Ehre und Ruhm unſerem mächtigen Könige
und Sieger!“ erſchollen die Rufe der fränkiſchen
Recken, die ſich erhoben, ihre Pokale ſchwenkten und
bis auf den Boden leerten.

„Dank Euch, ihr Helden Galliens, für Eure todes=
muthige Tapferkeit, die mir den ſchweren Sieg über
die kampfgeübten Sachſen errungen! Nun gebühret
Euch nach gethaner Arbeit der Lohn für das Mannes=
werk!“ rief Karl ſeinen edlen Kriegsgenoſſen zu,
ihnen mit ſeinem Humpen beſcheidgebend.

Mancher fränkiſche Edle war jetzt nach dem
errungenen Siege in der Gunſt ſeines Königs um vieles

geftiegen und wurde je nach Verdienft zu höherem
Range erhoben und mit herrlichen Ehrengeschenken
aus der reichen Kriegsbeute bedacht, was die Be=
geifterung und Treue der Krieger zu ihrem ruhm=
bedeckten Feldherrn nur noch erhöhte. Die Beute
wurde nach einem beftimmten Verhältniffe vertheilt
und wies manche Prachtftücke auf. Goldene Spangen
und prächtige Schwerter von gewaltiger Länge und
Schwere, köftlich gezierte Trinkhörner und mit Edel=
fteinen geschmückte Becher, koftbare Ketten und
prachtvolle Wehrgehänge, schöne Lanzen und
blitzende Hellebarden, Morgenfterne und glänzende
mit Silber eingelegte Streitäxte, sowie viele andere
Herrlichkeiten erfreuten die Helden des Franken=
königs. Das Allerkoftbarfte unter der Beute waren
aber die schönen Töchter des überwundenen Sachsen=
fürften Wittigift, die Karl der Große in Gewahrsam
übernahm. Nachdem die Beute ihren Mann gefunden,
hielt der König Kriegsrath, was zu thun sei, um
die rebellischen Sachsen ein für allemal mit dem
Frankenreiche zu vereinigen und jeden weiteren
Widerftand für die Zukunft unmöglich zu machen.

„Mein Rath geht dahin, daß wir den Kern der
überwältigten Sachsen, die etwa noch 30.000 be=
tragen werden, in Ketten legen und zu Sklaven=
arbeiten verhalten, worauf ihnen die Luft zu weiterem
Kampfe und zur Empörung vergehen wird,“ ließ
fich Alwin vernehmen.

„Das wäre schade um das kräftige, tapfere Volk, das zu etwas besserem als zu elendem Sklaven= dienste taugt," wehrte Romanus.

„Was sollen wir also thun, um jeden weiteren Widerstand der Sachsen zu brechen?" frug der König. „Wenn wir dieselben zum Sklavendienste verurtheilen, so wird ihr Racheburst noch größer werden, und wir entfernen uns noch mehr von dem Ziele, das dahin geht, sie mit meinem Reiche für immer zu verschmelzen."

„So nehmt sie, o König, in Euren Kriegsdienst auf, gebt ihnen die gleichen Rechte, wie den Franken, und Ihr werdet sehen, wie sie dann Euch dienen werden," rieth Meginhard, ein alter, edler Franke.

„Ihr glaubt die Sachsen durch Begünstigung gewinnen zu können? Wenn ihnen der Stachel der Gegnerschaft nur nicht zu tief im Herzen sitzt!" entgegnete Karl der Große.

„Gunst und Wohlthat brechen die Feindschaft und die Rache," beharrte Meginhard, der die Menschen genau kannte, auf seiner Meinung.

„Meginhard hat nicht so unrecht, die Sachsen sind ein kerniges, mannhaftes Volk, dessen Freiheits= liebe die schlechteste Eigenschaft nicht ist und das zu vernichten nicht nothwendig erscheint. Nehmt daher, ruhmreicher Herr und König, den besten Kern in Euer tapferes Heer auf, vertheilt sie einzeln unter den vielen Franken, oder noch besser, verpflanzt sie fern von ihrer Heimat an die südlichen und östlichen

Grenzen Eures weiten Reiches, stellt sie, ihre Mann=
haftigkeit achtend, als freie Krieger in die Marken
zum Kampfe gegen die wilden Avaren auf, achtet
sie wie Eure Franken, und Ihr werdet sehen, was
Ihr erreichen werdet, wenn Ihr dem kriegerischen
Sinne der Sachsen Rechnung traget," ließ sich
Albertus, ein hochangesehener Rathgeber des Königs,
vernehmen.

„Nieder mit ihm, er ist ein Freund der Sachsen,
ein Freund unserer Feinde!" schrie Alwin, der
fanatische Edelmann.

„Mit nichten, Alwin, Albertus hat ohne Leiden=
schaft und Parteilichkeit gesprochen, mir dünkt sein
Rath klug und weise und verdient es, in reife Er=
wägung gezogen zu werden," rief der König eifrigen
Tones.

„Der König will unsere Feinde uns gleichstellen,
jene, derentwegen unser Blut geflossen ist!" schrie
ein anderer Fanatiker.

Von verschieden Seiten erhob sich das Murren
über das Ansinnen des Königs.

„Freunde, Krieger! Noch ist ja der Entschluß
nicht gefallen, der Euch Grund zur Klage gäbe. Es
wird mir auch nicht einfallen, den Sachsen mit
Euch gleiche Rechte zu geben, denn sie sind und
bleiben unsere Feinde," beschwichtigte Karl der Große
die aufgeregten Kampfgenossen.

„Es lebe unser große König!" brüllten die eben zuvor
noch Mißmuthigen nun wieder freudig ihrem Herrn zu.

Der König beschloß nun mit seinen Räthen, den Kern der übrig gebliebenen Sachsen in der schon erwähnten Stärke von 30.000 Mann in die Gegenden der Drau und Mur zu verpflanzen, welcher Beschluß auch seine baldige Ausführung fand. Nur Wittigist's Töchter blieben als Geiseln und Sicherstellung für den Frieden der Sachsen in Karls Gewalt.

„Gieb mir wohl acht, mein Charlot, auf die Perlen meiner Beute, auf Wittigist's Töchter, und sieh zu, daß es ihnen an Speise und Trank nicht gebricht, denn ich will, daß sie wie eines Königs Töchter gehalten werden," befahl Karl seinem Lieblinge und besonderen Vertrauten.

„Herr, Ihr wißt, daß Ihr auf meine Treue bauen könnt und daß die Erfüllung Eurer Befehle mein liebster Beruf ist und sein wird," betheuerte Charlot aufrichtig.

„Ich kenne und schätze Deine treuen Dienste, mein Lieber, deshalb habe ich Dir auch das heikle Geschäft eines Mundschenkes anvertraut und befehle Dir nun auch die Obsorge über die Sachsentöchter," sprach der König.

„Euer Lob und Vertrauen, mächtiger Herr der Franken, macht mich stolz, und deshalb verspreche ich, mit meinem Leben für den Vollzug Eurer Aufträge einzustehen," betheuerte der Mundschenk begeistert.

„Wohl weiß ich's, daß Dein Herz Deinem Könige ergeben ist in Leben und Tod, deshalb will ich Dir's

auch lohnen durch meine besondere Gunst," ver=
sicherte Karl der Große seinem Vertrauten, ihn lieb=
kosend.

Charlot, der schöne Mundschenk mit den treu=
herzigen Augen, dem munteren, kecken Wesen, mit
der geschmeidigen Höflichkeit und der edlen, ritter=
lichen Gestalt entfernte sich, um sich die „Perlen der
Beute," worauf der König seine Aufmerksamkeit
gelenkt hatte, anzusehen. Seine Erwartungen wurden
in der That übertroffen, denn er sah zwei herrliche
Mädchen vor sich, groß und stark gewachsen, von
schönstem Ebenmaße, mit blond über die Schultern
wallenden Haaren und blauen Augen, kurz zwei
deutsche Jungfrauen, die in ihrer heimatlichen Tracht
und mit den zornigen Blicken, womit sie ihren ver=
meintlichen Feind ansahen, wie zwei Kriegsgöttinnen
vor dem staunenden Charlot standen. Er versicherte
sie, daß er ein Freund sei, daß er im Auftrage
seines Königs komme, um sie mit Speise und Trank
zu versorgen, kurz, um über ihre Lebensbedürfnisse
zu wachen, worauf ihre Blicke etwas freundlicher
wurden. Charlot wußte selbst nicht, wie ihm beim
Anblick der einen Sachsentochter, der schönen Hilde=
garde, zu Muthe geworden war. Er trat aus den
Gemächern heraus und befahl Randolf, dem Gefangen=
wärter, seine Schützlinge auf das beste zu behandeln,
denn der König wolle es so. Randolf versprach's,
und der Mundschenk gieng seiner Wege, fortwährend
an die majestätische Gestalt Hildegardes, an ihre

goldigen Locken und an die strahlende Himmels=
bläue ihrer Augen denkend.

„Ha, ist der Sachsen Göttin niedergestiegen, und
hat sie sich aus Trauer über den Fall ihres Volkes
ins Gefängnis bannen lassen, oder ist es wirklich
ein menschliches Wesen, ein Wesen so herrlich und
schön, wie meine Augen noch keines sahen? Doch ja,
sie ist Wittigist's, des tapferen Sachsenführers, Tochter,
vielleicht nicht weniger tapfer und freiheitsliebend,
als er es gewesen!" flüsterte Charlot wie traum=
verloren vor sich hin.

Oft und oft kam er später zu den Fürstentöchtern,
mit zärtlicher Sorgfalt über ihre Bedürfnisse wachend,
was denselben nicht gleichgiltig bleiben mußte. Wer
sollte sich da auch verwundern, wenn die beiden
ihrem edlen Schützer gegenüber gesprächiger wurden?
Charlot seinerseits hatte zu der schönen Hildegarde
eine tiefe Neigung gefaßt.

„Welches Glück, sie einst als Weib zu besitzen!
Doch sie gehört ja meinem Könige, dem ich Treue
gelobt, als Geisel!" mumelte er.

Der Gedanke, dem Könige zu Treue verpflichtet
zu sein, war ihm jetzt plötzlich unangenehm ge=
worden.

Eines Tags trat er wieder bei Hildegarde ein.

„Hör' mich an, Sachsentochter, einzige Deines
Geschlechtes! Du weißt, daß ich Dich liebe und
daß ich Dich retten kann, wenn ich will, obgleich

mir das Wort meinem Könige gegenüber Deine
Rettung verbietet!" sprach er sie an.

„O Charlot, Du kannst mich retten und zweifelst
noch? Rette mich aus den mir verhasften Mauern
und aus der Macht des noch verhassteren Franken=
königs und führe mich der goldenen Freiheit ent=
gegen, nach der mein Herz so lechzt, wie der dürstende
Wanderer nach der kühlen Quelle," rief Hildegarde
in so innigem Tone, dass Charlot nicht widerstehen
konnte.

„Und was wird, Hildegarde, mein Lohn sein,
wenn ich Dir zu Liebe meinen König und Freund
verrathe und verlasse und mir vielleicht seine Rache
und Verfolgung zuziehe?" frug Charlot.

„Ich will Dir als Weib, als treues Weib an=
gehören, Charlot, fürs ganze Leben und Dich lieben
und pflegen," sprach Hildegarde bewegt.

„Hildegarde, wenn Du wüsstest, was Du mich
für Peinen kostest!" rief er aus, sie an sich ziehend.

Charlot kämpfte einen schweren inneren Kampf.
Denn, wenn er Hildegarde die Seine nennen wollte,
musste er sie der königlichen Gewalt entziehen und
und damit an seinem Herrn, dem er Treue gelobt
und der ihm vertraute, Verrath üben. Auf der einen
Seite stand sein König und Freund und auf der
anderen Hildegarde, die Heißgeliebte! Welch qual=
volle Stunden durchlebte er, bis endlich die Leiden=
schaft für die Sachsentochter siegte! Eines Tages

weihte er seinen vertrauten Diener Roland ins
Geheimnis ein.

„Bereite alles zur Flucht, denn nächstens geht es
mit Hildegarde und ihrer Schwester fort, weit fort,
wo uns des Königs Arm nicht erreicht," befahl er.

„So wollt Ihr also Eures Königs Gunst ver=
scherzen, Herr, dessen Gunst, der Euch wie einen
Freund, ja fast wie seinen Sohn hielt?" wagte
Roland zu bemerken.

„Was redest Du daher, Roland, wo denkst Du
hin?" rief Charlot, vor des Dieners einfacher Frage
verlegen werdend.

„Habt Ihr ihm nicht Treue zugesagt und mit
Eurem Leben für seine Befehle zu haften ver=
sprochen? Und nun wollt Ihr die Euch anver=
trauten Geiseln entführen und Euren Herrn ver=
rathen?" erkühnte sich Roland, seinem Herrn vor=
zuwerfen.

„Schweig mir davon, Roland, denn der Seelen=
qualen hab ich bereits genung gehabt. Für Hilde=
garde, die ich rasend liebe, hab ich mich entschieden,
sie muß die Meine werden um jeden Preis. Ich
kann nicht anders, ein Gott verzeihe mir's, daß ich
so an meinem König, den ich schätze, handeln muß!"
rief Charlot in tiefer Erregung aus.

„Herr, ich verstehe Euch. Die Wahl, sie ist Euch
schwer geworden! Und wenn ich Euch zu mahnen
wagte, so that ich meine Pflicht als treuer Diener!"
entschuldigte sich Roland.

Charlot berieth mit mehreren Vertrauten den
Fluchtplan, nahm dann um gutes Geld eine Schar
entschlossener Söldner auf und floh bei Nacht und
Nebel mit den sächsischen Fürstentöchtern dem Süden
zu. Es gieng oft durch wilde Urwälder, wo Bären,
Wildkatzen und Wölfe hausten, denn man musste,
um den Verfolgern auszuweichen, wo möglich die
gebahnten Straßen, um deren Anlegung sich Karl der
Große sehr annahm, verlassen und einsame Gegenden
aufsuchen. So kam man längs des Bodensees, über
den Arlberg und Brenner, längs eines alten Ver=
kehrsweges, an dem noch Roms Meilensteine standen,
auf die Mailänderstraße und ins Drauthal. Letztere
Straße — denn jetzt, weit von den Verfolgern ent=
fernt, konnten sie's schon wagen, offene Wege zu
betreten — führte sie durch das heutige Kärnten
ins Murthal, das sie beim nunmehrigen Teufenbach
erreichten. Ueber die Höhe kommend, gewahrten sie
weiten Wald vor sich und über demselben in dem
steilen Burberg zwei hoch gelegene Höhlen, welche
ihre Aufmerksamkeit auf sich zogen.

„Das wäre für uns gerade ein sicheres Versteck,
in dem wir uns ein festes Bollwerk bauen könnten,"
meinte Charlot von Charlons.

„Und von dem aus wir unseren Verfolgern
Trotz bieten und sie mit blutigen Schädeln ab=
weisen könnten," bemerkte einer seiner Begleiter.

Die Burer Höhle, und zwar die größere war
endlich nach langer Mühe — denn sie lag an einem

sehr jähen Abhang — erklettert, unterfucht und, da
man auch klares Trinkwaffer darin fand, zum Be=
wohnen für tauglich befunden. Bald hämmerten die
Franken fleißig drauf los und bauten am Rande
der Höhle faft eifenfefte Mauern und eine ftarke
Burg auf, die dann in der That ein uneinnehm=
bares Bollwerk für die Bewohner wurde. Die zweite
danebenliegende Höhle diente als Stall. Der Aus=
gang der erften gieng durch den ganzen Buxer=
berg hindurch und kam am entgegengefetten Ende
der Burg heraus. Man konnte alfo von diefer
verfteckten Seite her trot der Belagerung und un=
beachtet vom Feinde Zufuhr und Hilfe holen und
fogar jahrelang einem Angriffe troten. Die frifche
Quelle, die durch die Höhle rann und vorn heraus=
lief, bot Waffer für Menfchen und Bieh genug und
verfiegte weder Sommer, noch Winter. Wäre aber
die Sache trotdem einmal fchief gegangen und hätten
die Feinde die Burg erftürmt, fo bot der rück=
wärtige geheime Ausgang immer Gelegenheit zum
Entfchlüpfen.

Als der König von dem Streiche feines unge=
treuen Mundfchenkes vernahm, gerieth er in heftige
Aufregung.

„O der Ungetreue, der fchwarze Berräther!
Wer hätte ihm die elende That zugetraut! Ich
habe eine Schlange am eigenen Bufen genährt
und einen Undankbaren bei mir großgezogen!" rief

9

er in aufwallendem Gefühle und bitterer Ent=
täuschung.

„Gemach, mein König, es geziemt sich nicht für
den Herrn, zu trauern, indes der Geflohene hohn=
lächelnd die Frucht seines Verrathes genießt, sondern
recht und billig ist es, darauf zu denken, daß dem
Frevler die Strafe nachfolge," eiferte ein Höfling.

Karl der Große litt bitteres Weh in seinem
Herzen, nicht so sehr wegen des Verlustes der kost=
baren Geiseln, sondern weil gerade der Liebling,
dem er am meisten vertraut, so niederträchtig an
ihm gehandelt hatte. Doch allmählich wich das Ge=
fühl der Enttäuschung und Bitterkeit dem gerechten
Zorne über den Entflohenen.

„Er soll seine schwarze That büßen, der Elende,
der mich mit seinem freundlichen Wesen umgarnte
und so schmählich betrog. Daher auf, Schergen, jagt
ihm nach, und ruhet nicht eher, bis ihr den Frevler
erreicht und mir todt oder lebendig mit den Sachsen=
töchtern gebracht habt. Reicher Lohn wird euch
werden, wenn ihr eure Aufgabe erfüllt," gebot er
seinen Leuten.

Diese eilten, ihres Königs Befehl zu erfüllen,
spürten nach allen Richtungen hin, ritten die besten
Pferde zu Tode, doch von dem Entflohenen war
keine Spur zu entdecken. Fast verzweifelten schon
die Häscher, als einer bei dem unaufhörlichen Suchen
eine Armspange fand, welche man als einer der
entflohenen Sächsinnen angehörig erkannte, worauf

es den Spuren nachgieng, die man aber bald wieder
verlor. Endlich nach langer Zeit entdeckte man durch
Zufall den Entflohenen in der befestigten Buxer
Höhle im Murthale, wohin, wie bereits erwähnt,
Sachsen verpflanzt worden waren. Doch Karl der
Große hatte inzwischen wieder andere Sorgen und
Feinde bekommen und keine Zeit, sich mit dem ent-
laufenen Mundschenken näher zu befassen. Wohl belagerten die Entdecker, welche der versprochene Lohn
des Königs reizte, den Herrn von Chalons, wie
dieser die Burg zubenannt hatte, doch vergebens.
Karl der Große, der die Kaiserwürde erlangt hatte,
starb, ohne den Verrath seines Mundschenks gerächt
zu haben.

Die starken Nachkommen Charlots hausten lange,
lange in der Felsen= und Höhlenburg, alle Kämpfe,
welche die Zeit erschütterten, mitmachend und dadurch
ihre Kraft erprobend und ihre Kriegslust be-
friedigend.

Von zwei späteren Besitzern der Burg, zwei
Brüdern, wird erzählt, daß sie, beide in heftiger
Liebe in ein Ritterfräulein von Saurau entbrannt,
in große Eifersucht gegen einander geriethen. Eines
Tages waren sie deshalb wieder in erregten Wort=
wechsel gekommen, der damit endete, daß sie die
Schwerter zückten und sich auf der schwindlig hohen
Zugbrücke erstachen, worauf sie in die schreckliche
Tiefe stürzten.

9*

Margarethe, genannt die Maultasche, die einen
Kriegszug hieher unternommen hatte, belagerte und
zerstörte die Buxer Höhlenburg, welche seitdem in
Trümmern liegt und noch jetzt die Blicke des
Fremden auf sich lenkt.

Von den ruhelosen Burgherrn eben des Buxer=
loches geht die Sage, dass sie manchmal bei Mondes=
schein beritten wiederkommen, denn zur Strafe für
die Räubereien müssen sie „umgeh'n."

22. Die alte Stadt Judenburg.

$\mathfrak{W}$ar reizend ist die Partie längs der wild=
rauschenden, dunklen Mur, im grünen duf=
tenden Thale gegen Judenburg zu, wo sich jenes

kesselförmig erweitert. Die uralte Stadt, in höchst malerischer Lage, blickt uns so freundlich entgegen, dass wir uns bewogen fühlen, dieselbe besonders aber ihre Geschichte etwas näher kennen zu lernen.

Schon zur Zeit der Römer ward die Stadt gegründet und Idunum benannt, worauf ein Gnaden= brief von einem römischen Kaiser, sowie eine lateinische Inschrift daselbst deuten. Die hohe merkwürdige Lage machte die Stelle, die an der alten Römerstraße von Mailand nach Wien lag, zu einem besonders wichtigen Punkte, den die Römer alsbald befestigten. Es heißt, dass auch der Stadtthurm sowie die Ruine Lichten= stein aus der Römerzeit und zwar noch aus der Zeit vor Christi Geburt stammen. Nach anderen soll Judenburg von handelnden Juden, welche die Römer auf ihren Zügen begleiteten, gegründet worden sein. Sei dem, wie ihm wolle, sicher ist, dass beide Denkmale, Thurm und Ruine, sehr alt sind.

Im Mittelalter war Judenburg ein Hauptstapel= platz für die Waren, die auf der Mailänderstraße nach dem Norden gebracht wurden. In den Jahren 1480—1610 waren hier nicht weniger als 22 Groß= händler — darunter gegen 14 Wechsler —, und etwa 40 geringere Kaufleute ansäßig. Erstere hatten in ihren Büchern wenigstens 100.000 fl. eingetragen, während man letztere auf die Hälfte schätzte. Dazu hatten sich in der Gegend 8 Grafen, sowie 22 andere Edelleute ansäßig gemacht, so dass man einen un= gefähren Begriff hat, welch reichgestaltiges Leben

und welch reges Handelsgetriebe hier ehemals ge=
herrscht haben muß. Unter kärntnerischem und
friaulischem Sicherheitsgeleite kamen die Handels=
züge massenhaft über Pontebba hier an, die köst=
lichsten und seltensten Sachen, den Luxus des
Orientes, sowie die feinen Waren Italiens bringend.
Gewürze, Arzeneien und Balsam aus Indien,
Liqueure und süße Weine aus dem sonnigen Süden,
herrliche Seidenstoffe aus Constantinopel und
Persien, sowie kunstvolle Gold= und Silbergeschmeide
kamen hier unter anderem auf den Markt. Die
Handelszüge, die zumeist Saumrosse zum Trans=
porte benützten, mußten in Judenburg so lange
bleiben, bis die hier ansässigen Kaufleute ihre Ein=
käufe gedeckt hatten, sonst hieß es 10 Mark Strafe
zahlen. Darauf gieng es, nachdem man das friaulische
Sicherheitsgeleite in die Heimat zurückgesandt, unter
Judenburgischer Bedeckung, welche die Bürger auf
ihre eigenen Kosten beistellen mußten und welche
nicht selten über 100 Mann betrug, nach Wiener
Neustadt und Wien. Unterwegs hatten die Kara=
wannen viel von den Raubrittern auszustehen, die
damals in dieser Gegend, wo für sie große Ge=
schäfte zu machen waren, stark hausten. Dieses
Gelichter, das vom Raube seinen Erwerb machte,
verpönte den Namen eines Raubritters und nannte
sich Abencerages oder Wegelagerer, denen geradezu
das Recht zustehe, vom Reichthum und Ueberflusse
anderer zu leben. Besonders in den weiten und

wilden Gebieten des Murwaldes hatten diese sogenann=
ten Edelleute ihre Verstecke, von denen aus sie die
reichen Handelszüge mit Gewalt oder List beraubten.

Unter der Herrschaft der Babenberger und Habs=
burger hatte Judenburg durch lange Zeit eine präch=
tige Herzogsburg, welche den Fürsten zwar nicht
zum ständigen Wohnsitze, aber doch zum zeitweiligen
Aufenthalte diente. Heute ist von diesem Pracht=
baue auch nicht mehr eine Spur vorhanden.

Von dem interessanten Stadtthurme sagt die
neuere Geschichte im Gegensatze zu älteren Ueber=
lieferungen, daß es kein Römerbau sei, indem man
damit erst im Jahre 1449 begonnen habe. In der That
deuten darauf Baurechnungen*) aus den folgenden
Jahren. Aus denselben ersieht man auch die Preis=
verhältnisse jener Zeit, und mögen einige Daten
daraus erwähnt werden. So kostete damals ein Laib
Brot zwei und eine Maß Wein nicht mehr als vier
Kreuzer, für Kalkbrenn= und Holzarbeit wurden
täglich per Mann zehn und für den Maurer elf
Kreuzer ausgegeben, ein Pfund gearbeitetes Eisen
kam auf zwei und ein Pfund Stahl auf zweieinhalb
Kreuzer, während eine Fuhre hartes Bauholz sammt
3 Stunden weiter Herbeischaffung zwölf, eine Fuhre
Sand sechs und eine Fuhre Steine drei Kreuzer kostete.

Nach mehreren Jahren war endlich der Thurm
fertig, hatte harmonisch klingende Glocken, darunter

---

*) Siehe die im Besitze des Herrn Steinachers, Buch=
händlers in Judenburg, befindliche Monographie.

auch das Judenglöcklein, welches täglich um 2 Uhr
nachts geläutet wurde und die Inschrift trug:

„Judenglöcklein nennt man mich,
Drum alle Tage rufe ich."

Der untere Theil des Thurmes trug nach der
Sitte der Zeit ein eisernes Halsband, woran die
Verbrecher zum abschreckenden Beispiele befestigt
wurden. Die am Thurme in großer Anzahl nistenden
Dohlen und Raben hegte und pflegte man ehedem
in Judenburg mit vieler Sorgfalt, waren sie ja
doch Pest= und Cholerapropheten. Brach nämlich
eine Epidemie aus, so verließen nach dem Volks=
glauben diese Vögel den angesteckten Ort unter
großem Gekrächze und kehrten erst, wenn die Pest
geschwunden, wieder zurück. Als nun einst bei Aus=
bruch dieser Seuche in Steiermark viele Dohlen sich
in Judenburg um den Thurm niederließen, zogen
ihnen auch die Menschen aus den verpesteten Orten
nach und fanden hier, in der hohen, gesunden Lage,
in der That keine Krankheit.

Der Sage nach soll ein Student, der beim
Ausnehmen junger Raben vom Kirchthurme stürzte,
keinen Schaden genommen haben, indem sich sein
Mantel im Winde wie ein Fallschirm ausbreitete.
Als die Bürger den jungen Mann mit dem flattern=
den Mantel fallen und unversehrt vom Pflaster
aufstehen sahen, stoben sie erschrocken und sich be=
kreuzend auseinander, nicht anders meinend, als
daß unter sie ein böser Geist gefahren sei.

23. Eine Verschwörung.

Zur Zeit der Traungauer und Babenberger hatten die Israeliten der schönen

Murstadt als Mäkler („Gevaterschin") und als Groß=
händler bedeutende Uebermacht und viele Reichthümer
erworben, weshalb sie beim christlichen Volke sehr
unbeliebt waren. Bis zum 15. Jahrhundert bildeten
sie bereits eine zahlreiche Gemeinde und hatten
auch für ihre Streitigkeiten einen eigenen Juden=
richter. Oft kam es zwischen Juden und Christen
zu blutigen Auftritten, welche theils durch Uebervor=
theilungen und theils durch ungehörige Uebergriffe
der ersteren veranlaßt waren. Besonders im Jahre
1312 gab's unter Friedrich dem Schönen für die
Juden eine wahre Bartolomäusnacht, in welcher die
Christen gegen ihre andersgläubigen Mitbürger
schlimmer als die Heiden wütheten.

Eines Tages in dem erwähnten Jahre besprachen
mehrere Christen mit einander sehr erregt eine Ange=
legenheit.

„Ich sag's euch, daß die Juden ihr großes
Vermögen verheimlicht haben, um weniger Abgaben
entrichten zu müssen, und daß wir deshalb zu
Schaden gekommen sind," schrie der eine.

„Und mich hat der Moritz Mardoch angeschmiert,
denn er gab mir schlechte Ware und zu kleines
Gewicht," raisonnierte ein Zweiter.

„Auch ich hab' über einen zu klagen. Der Abraham
Löwenkopf, den ihr ja alle kennt, hat mich bewuchert,
da er 10 Goldgulden von hundert verlangte,"
schimpfte ein weiterer.

Und so gieng's fort, der hatte sich über dies, und jener wieder über etwas anderes zu beklagen. Schließlich kamen all die verschiedenen Klagen vor den gestrengen Herrn Amtmann, welcher mehrere der Juden, die sich Ungebührlichkeiten hatten zuschulden kommen lassen, sowie die Zeugen vor sein hochnothpeinliches Gericht lud.

„Sag' mir, Salomon Fuchsenstamm, wie viel Vermögen du hast!" begann der Gestrenge das Verhör.

„Herr Amtmann, hab ich nix viel erworben, die Geschäfte geh'n nicht mehr so gut," log der Aufgeforderte, denn er verdiente, wie man wußte, sehr viel.

„Ich hab' gehört, daß du 100.000 Goldgulden besitzest!" fuhr der Amtmann fort.

„50.000, gestrenger Herr Amtmann, nix mehr!" log Salomon abermals, denn mit 100.000 hätte er als Großhändler die doppelten Abgaben zahlen müssen.

„Ich rathe dir, sprich die Wahrheit, sonst könntest du übel fahren!" drohte der Gestrenge.

„Sollen mir waxen Schlangen im Bauch, Euer Gestrengen, und sollen mich zwicken die Wanzen bis ans End', wenn ich nix hab gered't die Wahr= heit," rief Salomon in vollem Ernste.

„Ich ermahne dich zum letztenmale, lüge nicht!" fuhr ihn der Amtmann an.

„Hab ich nix gelogen! Bin ich gewesen mei Lebtag ä ehrlicher Kerl!" betheuerte der Israelit.

„Salomon, Salomon! Alles wird ans Tages=
licht kommen, und wehe dir, wenn du betrogen!"
war des Gestrengen ernste Mahnung.

Vergebens, Salomon blieb bei seiner Behauptung.
Nach ihm trat ein zweiter Hebräer vor den Amtmann.

„Gegen dich liegt die Klage vor, Moriz Mardoch,
daß du dem Kließmann schlechte Ware verkauft und
falsches Gewicht gegeben hast," eröffnete der Richter
die zweite Angelegenheit.

„Schlechte Ware? Wie haißt? Hat der Kließ=
mann gewählt die Waare selber, nachdem er sie oft
beguckt und angegriffen, und hat er mir noch ab=
gehandelt einen Goldgülden. Wo kann mich da treffen
eine Schuld?" vertheidigte sich Moriz mit näselnder
Stimme.

„Und was ist's mit dem schlechten Gewichte?"
frug der Richter.

„Herr Amtmann! Hab' ich gekauft das Gewicht
beim öffentlichen Wagmeister und kann es nix ge=
wesen sein schlecht," betheuerte Moriz.

„Du hast ihm aber zu wenig gewogen!"

„Er hat mich verleumdet, der Lump!"

Drauf trat auch Mardoch ab, anderen Angeklagten
Platz machend. Der Amtmann that in jedem Falle,
was Rechtens war. Wenn die Schuld durch mehrere
glaubwürdige Zeugen erwiesen war, so folgte un=
erbittlich die Strafe, und zwar bei kleinen Vergehen
zumeist die Geldstrafe, handelte es sich aber um ein
öffentliches Aergernis, so folgte der Pranger am

Stadtthurme, unter Umständen das „Stäupen" oder
die Prügelstrafe und bei schlechtem Gewichte das
Untertauchen in der Mur. Dabei wurde der Ver=
brecher in einen Stuhl gesetzt und dieser dann durch
eine mechanische Vorrichtung ins Wasser gelassen. Auch
Mardoch traf diese Züchtigung, während Salomon,
nachdem ihm die Lüge nachgewiesen war, an den
Pranger kam und sonstige empfindliche Strafen
erlitt. Außer diesen wurden noch andere Juden
wegen allerhand Uebergriffen abgestraft und dem
öffentlichen Spotte, womit die schadenfrohe Menge
nicht sparsam war, preisgegeben. Dieser Umstand
und die sich immer mehr fühlbar machende Feind=
schaft und Mißgunst von Seite der Christen brachte
das Blut der schwer bedrängten Söhne Israels bald
in Wallung. Man berathschlagte heimlich bei dem
vorerwähnten Salomon, der wegen seiner geistigen
Ueberlegenheit und der besonderen Kunst, viel Geld
im Handel zu gewinnen, unter den Juden eine
führende Rolle einnahm.

„Ihr wißt, daß uns sind neidig die Gojims
wegen unseres Geldes und daß sie uns verfolgen
und verspotten. Daher rafft euch auf, Söhne Israels,
zur Rache!" rief er mit schreiender Stimme.

„Jawohl, bei meinem Barte, kommen muß
der Tag der Rache," brüllte auch Mardoch, „denn
getaucht haben sie mich ins Wasser, daß ich wäre
bald elend ersoffen."

„Sie sind uns mißgünstig, weil wir sind ge=
scheidter und geriebener, und weil sie's uns nix
können nachmachen, die dummen Gojims," schimpfte
Raubengold wüthend.

„Ich meine, daß wir erschlagen alle Christen
der Stadt, da sie uns bedrängen!" rieth Ephraim
Barruch mit blutgierigen Blicken.

„Ha, erschlagen! Bist ä Mordskerl, Barruchleben,
hast getroffen ins Schwarze!" rief ihm einer bei=
fällig zu.

„Sag doch, wie wir sollen blasen den Gojims
das Licht aus?" frug der schielende Jacob.

„Hast eppes Heu im Schädel, daß du nix kom=
men bist drauf? In der Nacht müssen wir sie im
Schlafe überfallen und machen kalt," belehrte Barruch
in überlegenem Tone.

„Das wär' Thorheit, denn sie haben große, wilde
Hunde in ihren Häusern und gute Waffen bei sich,
und könnten wir kriegen viel Prügel und blaue
Fleck' oder gar einbüßen unser Leben," rieth David
Zimperlich ab.

Fast alle gaben ihre Bedenken über den gewagten
Plan Barruchs kund.

„Seid ihr Hasenfüß' alle zusammen und gehört
ihr alle in die Kinderstube zur Amme," schrie Barruch
ärgerlich.

„Weiß keiner ä besseren Rath?" frug Salomon,
das Haupt der Hebräer.

„Halt, Salomonleben! Hab' ich's gefunden!"
rief einer, der auf den Namen Tigerzahn hörte.

„Also heraus damit!" drängte man ungestüm.

„Wißt ihr nix, daß Weihnachten und der heilige
Abend, wie's die Gojims nennen, sind in der Nähe
und daß sie alle an diesem Abend gehen in ihre
Kirche ohne Waffen? Gut, wenn sie alle nix ahnend
sind gegangen hinein, so können wir sperren die Thüre
zu und sie machen alle kalt," rief er mit grimmigem
Lächeln.

Alle hatten in größter Spannung zugehört, und
viele gaben zu dem Rathe schreiend ihren Beifall
kund.

„So wahr ich bin ä Sohn Israels, du bist ä
geriebener Bursche, Tigerzahn!" lobte Salomon,
welcher darauf mit den angesehensten Juden den
capitalen Plan berieth.

Man fand ihn in der That als den besten und
beschloß, ihn auch auszuführen.

„Daß ihr aber nix plappert aus wie die alten
Weiber!" mahnte Salomon, welcher schließlich vor-
schlug und auch damit Billigung fand, daß alle
Anwesenden in seine Hände das heilige Versprechen
abzulegen hätten, keine Silbe von dem Gesprochenen
zu verrathen.

Alle gelobten Stillschweigen, worauf auch Salomon sein Versprechen in die Hand eines Anwesenden leistete. Die Verschwörung gegen die Christen
der Stadt war also unter Stimmeneinhelligkeit

angezettelt, doch fand man es für gut, in Barruchs
weitläufigem Hause noch öfters geheime Berathungen
zu pflegen, wie im einzelnen der Plan am besten
auszuführen sei. Man besprach alles bis ins Kleinste
und vertheilte die entscheidenden Rollen an die
handfestesten und kühnsten Leute. Barruchs Tochter,
die schöne Esther, deren Charakter ganz zu ihren
Gunsten von dem der übrigen Juden abstach, war
durch die Geheimthuerei und die öfteren Zusammen=
künfte der Juden in ihres Vaters Hause sehr neu=
gierig geworden. Eben war sie wieder in den Garten
gegangen, in dessen hintersten Theile die Hebräer in
einer versteckten Stube berathschlagten und die Köpfe
zusammensteckten. Esther wäre um alles in der Welt
gern hinter das Geheimnis gekommen und gab sich
alle erdenkliche Mühe, etwas zu erhaschen, doch ver=
gebens, denn ihre Glaubensgenossen waren durch
mehrere Thüren abgesperrt, so dass man kein Sterbens=
wörtchen vernehmen konnte. Eines Tags traf die
schöne Esther, die neugierige Späherin, mit einem
jungen Manne zusammen.

„Ah, Guntram, du bist's! Ich grüße dich von
Herzen!" rief sie, ihm freudig die weiche Hand
reichend.

„Und ich freue mich, in deine schönen Augen
wieder sehen zu können, Esther!" sprach dieser.

. Es war niemand anderer, als Guntram Schwert=
berg, ein christlicher Kaufmannssohn der Stadt,
der mit der schönen Jüdin einen Liebesbund ge=

10

schlossen hatte, den er trotz der vielen Hindernisse
und trotz der Weigerung seiner Eltern vor dem
Altare seiner Kirche für's Leben einsegnen lassen
wollte. Man klagte sich gegenseitig den Herzens=
kummer und schied endlich. Als Esther wieder ein=
mal ihre Spähungen aufnahm, sah sie aus der ver=
steckten Stube einen Mann heraustreten. Schnell
schlüpfte sie, um nicht bemerkt zu werden, in ein Versteck
und bemerkte, wie der Mann nach kurzer Zeit wieder
in das Gemach zurückgieng. Neugierig gieng Esther
nach und fand zu ihrer Freude die erste Thür offen,
da sie der Unvorsichtige in der Eile zu schließen
vergessen hatte. Leise trat die Neugierige in die
weite Vorstube und konnte nun an der Thüre
manches hören, was nicht für ihr Ohr berechnet
war. Ohne an das Schmähliche des Horchens zu
denken, lauschte sie längere Zeit und erfuhr das
entsetzliche Geheimnis.*) Esther war schreckensbleich
geworden, und ihre Glieder zitterten, doch hatte sie
noch so viel Kraft, um den Ort zu verlassen. Als
sie sich von dem Entsetzen erholt hatte, lief sie sporn=
streichs zu Guntram.

„Guntram, mein Theurer, ich hab' dir Furcht=
bares zu melden!" rief sie ihm mit zitternder
Stimme zu.

„Um Gottes Willen, Esther, was hast du? daß
du so schreckensblaß bist?" frug er in großer Besorgnis.

---

*) Die Verschwörung der Juden sowie die spätere That
der Christen sind historisch.

„So hör's, das Furchtbare. Du sollst nächstens sterben, Guntram, sterben, hörst du?" platzte sie bebend heraus.

Guntram zuckte betroffen zusammen.

„Ich soll nächstens sterben? Bist du bei Sinnen? Wer hat dir das gesagt?" frug er sie mit Blicken, als ob er für ihren Verstand fürchte.

„Kannst du mir einen heiligen Schwur leisten, daß du mein Geheimnis und mich niemandem ver= rathen wirst? Denn das wäre auch mein Verderben!" flehte sie händeringend.

„Esther, sag mir, bist du bei gesunden Sinnen, oder hast du plötzlich von schwarzem Verderben ge= träumt? Haben wir uns nicht erst seit kurzem frisch und wohl getrennt? Wie können dir plötzlich solche Gedanken kommen?" rief er erregt aus.

„Erinnerst du dich noch, daß ich dich bei unserem letzten Zusammensein auf die geheimen Versamm= lungen meiner Stammesbrüder aufmerksam machte, daß du meiner Besorgnis spottetest und der Meinung warest, sie würden wahrscheinlich berathen, wie sie die Christen wieder auf eine noch raffiniertere Weise „anschmieren" könnten, damit ihnen weder Amtmann noch Pranger etwas anhabe?" frug Esther.

„Oder hast du dich unterdes eines Besseren be= lehrt und aus der Berathung deiner Brüder etwas anderes herausgehört?"

„Schwöre mir zuerst, mich und das Geheimnis nicht zu verrathen!" drängte sie.

10*

Guntram versprach endlich der drängenden Esther, kein Wort von ihrem Geheimnisse zu sagen.

„Vernimm also das Furchtbare und rette dich, so lange es Zeit ist!" rief Esther, ihm die Verschwörung ihrer Stammesgenossen mittheilend.

Guntram fuhr bei der Schreckensbotschaft entsetzt auf, denn solch Ungeheuerliches hatte er nicht erwartet, doch hatte er sich bald gesammelt.

„Ha, der Plan soll der Brut nicht gelingen, sondern sie sollen selbst in die Grube fallen, die sie uns graben wollen!" schrie er wüthend auf.

„Ich beschwöre dich bei Gott, sage mir, was du vor hast!" flehte sie angstvoll.

„Was ich vorhabe? Die Christen will ich warnen und retten, die Juden aber der verdienten Strafe zuführen!" platzte er zornig heraus.

„So willst du dein gegebenes Wort brechen?" frug sie schreckensbleich.

„Davon kann keine Rede sein, Esther, denn da hier das Leben Tausender meiner unschuldigen Brüder am Spiele steht, so kann mich mein Wort nicht mehr binden, das ich nicht gegeben hätte, wenn ich gewußt, um was es sich handelt."

„O du Meineidiger, du Treuloser!" rief sie aus.

„Beruhige dich, Esther, Gott wird mir das Versprechen, das du mir abgerungen, nicht als gebrochen anrechnen, da es gilt, die Unschuldigen zu retten!" erklärte er.

Esther bat und flehte, vergebens, Guntram blieb dabei, daß er den Christen die Sache mittheilen und die Juden verderben werde.

„Nur du, Esther, sollst der Strafe entrinnen, da du uns alle gerettet!" sprach er entschlossen.

„Guntram, ich schwöre dir, daß, wenn du meine Stammesgenossen vernichtest, meine Liebe zu dir erloschen ist. und du nur auf's Gegentheil rechnen kannst!" sagte sie mit finsterer Miene.

Guntram achtete dieser Drohung nicht,. sondern brachte Esther in Sicherheit und gab ihr noch das Versprechen, daß er trachten wolle, wenigstens ihre Eltern und Verwandten aus dem Verderben zu retten. Er ließ Esther gut bewachen, damit sie nicht entfliehe und die Juden warne. Unterdeß hatte er den Christen den Anschlag mitgetheilt, worauf sich diese verschworen, keinen Hebräer lebendig aus der Stadt entrinnen zu lassen.

So kam der Tag, dem der hl. Abend folgte, und die ganze Judenschaft war zum Schlage gegen die Christen gerüstet. Da trat etwas Schreckliches ein, indem die Christen bis an die Zähne bewaffnet in die Judenhäuser eindrangen und alles, was hebräischen Stammes war, niedermetzelten. Bis zum Abende dauerte das entsetzliche Hinmorden, wobei weder Weib noch Kind verschont blieb, bis endlich der letzte Israelit beim sogenannten Judenthörl geendet hatte. Nur Esther wurde gerettet; ihre Anverwandten hatte Guntram trotz seiner Bemühungen nicht dem Ver=

berben entziehen können. Die Gerettete floh alsbald weit weg von der Stätte des Schreckens und hatte für ihren Guntram nur noch ein Gefühl des Grauens und Abscheues, indem sie ihn als den Mörder ihrer Stammesgenossen anklagte, ohne zu bedenken, dass gerade durch ihren Verrath die Juden gefallen waren. So hatte sich der Pfeil, den die Judenschaft gegen ihre Feinde abschnellen wollten, gegen ihre eigene Brust gerichtet.

Es heißt, dass, wenn sich der Bluttag jährt, die Geister der Erschlagenen ihre Klagelaute ertönen lassen.

24. Wie's einem Minnesänger ergieng.

Auf roman=
tischer
Bergeshöhe, auf
steilem Felsen=
spitze bei Juden=
burg hauste der
liederfrohe
Minnesänger Ulrich aus einem sehr alten berühmten

Geschlechte. Schon damals — um die Mitte des
13. Jahrhunderts — soll die Burg, eine der
festesten und kühnsten im Lande, über 1200 Jahre
alt gewesen sein, rühmt man ihr doch nach,
daß sie lange vor Christi Geburt erbaut und
römischen Ursprungs sei. Die Feste hatte eine un=
vergleichliche Lage, und ihre starken Mauern schienen
mit den Felsen verwachsen und leisteten wie eine
natürliche Schutzwehr jedem feindlichen Ansturme
Widerstand. Weit und breit konnte man von der
Burg, die ober der Mailänderstraße lag, ins grüne,
schöne Land hinauslugen, alle Straßen übersehen und
die herankommenden Feinde und Handelszüge schon
von Ferne erblicken. Hier dichtete Ulrich seine frohen,
gemüthvollen Lieder, umrauscht von Waldesluft und
entzückt von würzigem Tannenduft, und hier er=
klangen die Weisen seiner Dichtungen unter der Be=
gleitung süßer Saitentöne. Glänzende Feste und
lärmende Turniere gab er den kampffreudigen Rittern
der Nachbarschaft in Menge, denn er übte Gastfreund=
schaft und edle Ritterlichkeit und war überhaupt ein
Muster edelmännischer Bildung, des Minnedienstes
gar nicht zu gedenken, der in Herrn Ulrich seinen
begeistertesten Vertreter hatte. Denn galt es, für
eine Dame einen Speer zu brechen, sie zu ver=
theidigen oder ihr Lob zu gewinnen, so war er
gewiß der erste in den Turnierschranken und rannte
jeden Gegner nieder; oder galt es, zu Ehren einer
Schönen einen holden Sang zu erfinnen, oder ein

gefährliches Abenteuer zu bestehen, so zögerte er
nicht, seine Aufgabe durchzuführen. Freilich schmollte
oft die liebwerte Ehegemahlin, welche auf der herr=
lichen und mächtigen Frauenburg ob Unzmarkt, nicht
weit von Judenburg, saß, wenn der allzu flotte
Ulrich der tollen Streiche zu viele ausführte. Doch
der liebenswürdige Gemahl wußte die trüben Wolken
auf der Stirne seiner edlen Gemahlin sowie ein im
Anzuge begriffenes Donnerwetter bald durch ein
minnigliches Liedlein ihr zu Ehren und durch mun=
teres Geplauder zu verscheuchen, so daß sie ihm
wirklich nicht lange böse sein konnte. Oft zog es
auch den abenteuerdurstigen Minnesänger zu Kampf
und Turnieren in die Ferne, so daß beim Auszuge
die Burg unter dem Gewieher der stattlichen Streit=
rosse, unter dem Bellen der Rüden, dem Schmettern
der Hörner, dem Klirren der Waffen und dem Rasseln
der Zugbrücke erdröhnte. Frisch und froh, keck und
kühn gieng's dann in die schöne weite Welt hinein,
Ehrengaben, Minnesold und Kampfesruhm ge=
winnend. Hei, war das dann ein Leben so frei und
ungebunden, wechselnd in Leid und Freud, in Waffen=
streit und in süßer Ruhe froher Feste! Einmal zog
Herr Ulrich gar als Frau Venus verkleidet, so daß
ihn niemand als stahlgepanzerten Ritter zu erkennen
vermochte, von Venedigs lieblichem Strande mit
prächtig reichem Gefolge gegen Norden, gleich der
aus der See auftauchenden Liebesgöttin, die ihren
Zug über Thal und Berg nimmt, die Herzen zu

erobern. Auf jeder Burg kehrte er ein, reicher Be=
wirtung und köstlicher Ehren sicher, und überall
forderte er die streitlustigen Ritter, wo er sie traf,
zum Kampfe heraus und errang Siege über Siege.
Auch die süße Minne und der frohe Sang ward
dabei sehr emsig gepflegt und manches kühne aber
auch so manches lächerliche und klägliche Abenteuer
bestanden. So kam der edle Ritter mit seiner
glänzenden Begleitung bis nach Wien, ja bis weit
nach Mähren hinein, wobei seiner wieder prunkende
Feste, ritterliche Turniere, die Ehrung durch schöne
Frauen und Minnesold in Menge harrten. Das
waren Ulrichs schönste Tage, die aber wie alles
nur zu schnell dahinschwanden.

Ulrich hatte wieder auf der Frauenburg ein köst=
liches Fest gegeben, woran viele Freunde und Nach=
barn theilgenommen. Die Freude war verrauscht,
und die alltägliche Ordnung auf der Feste einge=
kehrt. Man mußte nun wieder an das ernste Waffen=
spiel denken, denn man lebte ja im Interregnum,
in der kaiserlosen, schrecklichen Zeit, wo sich jeder
nur auf die Stärke der eigenen Faust verlassen
konnte, weshalb die Uebung in Führung der Waffen
nicht aufhören durfte.

Pilgrin von Garosse und Weinolt, zwei mindere
Ritter, die als Ulrichs Freunde das Fest mitgemacht
hatten, saßen eben, nicht weit von ihren kleinen
Edelsitzen entfernt, im Schatten einer Schänke, die
vollen Humpen vor sich. Die Sonne lachte mit

vollem Gesichte vom blauen Himmel ins herrlich
grüne Thal herunter und meinte es gerade an
dem Tage mit ihren wärmenden Strahlen zu gut.

„Heil dir, Freund Garosse!" rief soeben Weinolt
seinem Genossen zu, den schäumenden Humpen er=
greifend und einen gar gewaltigen Schluck machend.

„Sieg und Freude meinem Weinolt!" gab der
Angesprochene seinem Gefährten Bescheid, ebenfalls
einen tiefen Zug machend und dann vor Vergnügen
mit der Zunge schnalzend.

„'S ist halt ein gar zu kühles, gutes Tröpfchen,
nicht wahr, Pilgrin?" meinte Weinolt, auf seines
Freundes Wohlbehagen anspielend.

„Das möcht' ich meinen, 's thut einem ordent=
lich die Hitze im Inneren löschen und bringt wieder
Leben in den von der Sonne verbrannten Leib,"
sagte der andere, sich den Schweiß von der Stirne
wischend.

„Mir brennt heut' noch der Kopf von Ulrichs
gestrigen Feste, und da thut einem ein kalter Schluck
doppelt wohl."

„Hast halt gestern zu viel in den feurigen Bur=
gunder geguckt, und da ist's kein Wunder, wenn's
jetzt noch in deinem dicken Schädel spukt," foppte
Pilgrin.

„Und ich glaub', daß sich Ulrich über deine
gestrige Mäßigkeit gerade nicht beklagen kann, denn

der Nagelproben haft du mehr als ich gemacht,"
entgegnete Weinolt schlagfertig.

„Erhitze dich nicht mehr, als nöthig ist, und sag
mir lieber, wie man's Ulrich, unserem reichen Freunde,
nachmachen könnte," meinte Pilgrin, dem Gespräche
eine andere Richtung gebend.

„Du meinst, wie man so herrlich in Freuden
und Pracht leben könnte? Da hast du mir gelassen
eine große Frag' gestellt," sprach Weinolt.

„Eine Frage, die vielleicht zu lösen wäre und
auch bald gelöst sein muß, denn der mager'n Zeiten
— der Henker hole sie — bin ich bei meinem Schwerte
satt!" raisonnierte Pilgrin, zornig mit der Faust auf
den schweren Eichentisch schlagend, daß die Humpen
klirrten.

„Der mager'n Zeiten bist du satt? Daß sie so
mager wären, säh' man deinem runden Bäuchlein
wohl nicht an," höhnte Weinolt.

„Scher' dich zum Kukuk fort mit deinen dummen
Witzen!" fuhr Pilgrin zornig auf.

„Dann hättest du ja keinen Freund und Zech=
genossen!" spöttelte Weinolt.

„So bleib' und rathe nur, was wir nun zu
thun haben, daß wir wieder auf die Beine kommen."

„Fleißig pürschen sollen wir nach Bären, Hirschen,
nach Ebern und nach Rehen, und das Fell sowie
das zarte Fleisch dann Ulrichen verkaufen!" konnte
sich Weinolt nicht enthalten, weiter zu höhnen.

„Deines Spottes bin ich wahrlich satt."

„So verſuchen wir's halt, wenn dir der Rath
nicht paſst, an Wegen uns zu lagern, den reichen
Handelszügen aufzulauern und die ſchweren Laſten
ihnen freundlich abzunehmen," fuhr Weinolt fort.

„Als ob dir's unbekannt ſchon wäre, daſs wir
viel ſchwächer ſind, als die reichen Handelsleute, die
in der kaiſerloſen, wilden Zeit mit mächtig ſtarkem
Sicherheitsgeleit auf ihre Märkte ziehen," ſagte Pilgrin.

„Fürchteſt du die blutigen Striemen?"

„Hab' mir der blauen Flecke ſchon überviel ge=
holt und keinen Heller noch davon gehabt," klagte
Pilgrin verdroſſen.

„Jetzt wird ein beſſ'rer Rath mir wirklich theuer!"
brummte Weinolt, wieder in den Humpen ſchauend
und ſich ſtärkend, als ob er ſich da Rath holen
wollte.

„Ich glaub', wir finden's noch!" tröſtete der
andere.

„Wir? ſagſt du, da ſoll es beſſer heißen: ich,
denn aus deinem Schädel iſt noch nicht viel Klug=
heit ausgegangen," meinte Weinolt überlegen.

„Den Stein der Weiſen haſt du auch noch nicht
entdeckt!"

„Ich hoff' ihn aber zu entdecken!" prahlte Weinolt.

„So ſprich, wo er zu finden iſt!"

„Ich wüſste wohl, aber —," ſtockte Weinolt.

„Was, „aber"? Ich zerhaue jedes „aber" mit
dem Schwerte!" drängte Pilgrin entſchloſſen.

„Du weißt, unſer Freund Ulrich hat der Güter

viele —" that Weinolt geheimnisvoll, das Wort
Freund merkwürdig betonend.

„Das weis ich wohl. Was weiter?"

„Besonders Frauenburg ist eine herrlich schöne
Feste!" that Weinolt etwas deutlicher.

„Nun heraus, zum Donnerwetter, mit deiner
Heimlichthuerei, denn du spannst mich auf die Folter!"
rief Pilgrin in höchster Ungeduld.

„Und Ulrich ist ein überspannter Ritter, der
so viel Güter gar nicht nöthig hat und den vielen
Reichthum gar nicht zu gebrauchen weiß," erklärte
Weinolt.

„Wo steuerst du hinaus?"

„Du Dummkopf, hast du's nicht begriffen?" rief
nun Weinolt über die Begriffsstützigkeit Pilgrins
zornig.

„Ich wüßte nicht —"

„So höre! Frauenburg mit seinen schönen Gütern
soll unser werden. Was schadet's auch, wenn wir
dem „Freunde" eine Sorge weniger machen?" platzte
endlich Weinolt heraus, sich zu Pilgrins Ohr neigend.

„Weinolt, Ulrich ist ja unser Freund!" rief
Pilgrin halb bestürzt, halb empört über den Ju=
dasrath.

„Auch das gefällt dir nicht? Gut, so lassen
wir das bleiben! Du aber fange an, zu fasten und
lasse deinen Bauch zusammenschrumpfen!" spottete
Weinolt.

„So war's nicht gemeint!"

„So hör' mich weiter! Wir brauchen Ulrich
und den Seinen ja kein Haar zu krümmen, denn
wir nehmen ja nur Frauenburg! Wir sammeln
eine große Schar von Reisigen um uns, und über=
rumpeln Ulrich, der uns als Freunde ahnungslos
in seine Feste lassen wird, mit unserer Uebermacht,
der wir, wenn der Plan gelingt, gold'nen Lohn ver=
sprechen!" rückte Weinolt mit seinem Plan heraus.

„Wenn es nur nicht gerade Ulrich wäre!" wandte
Pilgrin schwach ein, in dem sich doch ein kleines
Gefühl rührte.

„So bleib' zu Hause auf der Ofenbank und trinke
Wasser anstatt Wein," höhnte Weinolt.

„Versprich, daß Ulrich nichts geschehen soll, dann
bin ich auch dabei!"

„Topp, es gilt!" rief Weinolt erfreut.

Die sauberen „Freunde" Ulrichs reichten sich
die Hände zum Bunde wider ihren Wohlthäter

* * *

Bald darauf zog eine Schar bis an die Zähne
Bewaffneter, deren Anführer Pilgrin und Weinolt
waren, gegen die Frauenburg. Die Kettenhemden und
Rüstungen rasselten, die Helmbüsche flatterten lustig
im Winde, und die stattlichen Streitrosse wieherten
frisch in den Tag hinein. Bald erscholl auch des
Thurmwarts schmetterndes Trompetenzeichen, ver=
kündend, daß Freunde nahen, worauf die mächtige
Zugbrücke niederrasselte. Ulrich eilte den „Freun=
den" entgegen, sie nach Gebühr zu empfangen.

„Seid mir gegrüßt, ihr Wackern, auf der Frauen=
burg!" rief er ihnen freudig darüber, wieder einmal
Bekannte zu sehen, entgegen.

„Wir bringen gute Nachricht, Ulrich!" rief Wei=
nolt, das höhnische Lächeln nur mit Mühe unter=
drückend.

„Will's auch hoffen," meinte nichtsahnend der
Minnesänger.

Bald darauf reichten zarte Frauenhände den
Gästen nach alter Rittersitte den Willkommstrunk
im Ehrenbecher des Hauses, worauf es in die Fest=
säle der Burg über die Stiegen hinan gieng. Ein
Wink von Weinolt, und seine Reisigen fielen hinter=
rücks über Ulrich her, entwaffneten ihn und banden
ihm mit Blitzesschnelle die Hände auf den Rücken,
wobei der sich wehrende Ulrich leicht verwundet
wurde. Unterdes besetzte Pilgrin mit seinen Leuten die
Burgausgänge und bewältigte leicht die überraschte
Besatzung. Pilgrin begnügte sich damit, die Ueber=
wältigten fesseln zu lassen und schritt, als so mit
kurzem Handstreiche die Feste gewonnen war, hinan
in den Saal, wo Ulrich gebunden lag. Dieser war
bei dem unverwarteten Ueberfalle durch seine eigenen
Freunde ganz bestürzt geworden.

„Ha, was soll das? Ist's ein loser Streich von
dir, Weinolt? Mache mich sofort frei!" fuhr er diesen
wüthend an.

„'s ist Ernst, voller Ernst, Ulrich, denn wir
wollen jetzt zur Abwechslung einmal an deiner statt

auf der Frauenburg, wo's uns ausnehmend gefällt, die Herren spielen und dir die Sorgen ein wenig abnehmen," höhnte Weinolt in seiner gewohnten Weise.

„'s ist Wahrheit, volle Wahrheit?" frug Ulrich in höchster Bestürzung.

„Ich hab's bereits gesagt, diesmal hab' ich nicht gespasst!" sprach Weinolt mit ernster Miene.

Nun war sich Ulrich seiner fürchterlichen Lage völlig bewusst.

„Pfui, dreimal pfui über euch Schurken und elenden Verräther, die ihr an den eigenen Freund Hand anleget! Doch habt Geduld, die Meinen werden diese schwarze That nicht ungerächt lassen!" rief er empört und in aufwallender Wuth an den Fesseln zerrend.

„Da seh einer, was uns der Freund Ulrich für Ehrentitel angedeihen läßt! Doch gemach, mein Lieber, die Deinen theilen mit dir das gleiche Los, und können für dich keinen Knochen rühren!" rief Weinolt.

„Weh mir, daß ich in die Hände solcher Freunde gefallen! Hätte ich nur meine Arme frei, mit Lust würde ich dein schwarzes Herz durchbohren!" klagte und wüthete der Gebundene.

„Strenge dich nicht zu sehr an, Ulrich, denn es ist vergebens," mahnte Weinolt.

Doch Ulrich tobte weiter.

11

„Schweig oder du haſt's noch zu bereuen!" fuhr ihn nun Weinolt an, ihm mit dem Schwerte drohend.

„Hau zu, Schurke, denn beſſer todt, als lebend unter ſolchen Freunden!" ſchrie der Gefangene.

Weinolt zückte ſchon das Schwert, den Schmäher zu ſtrafen, als ihm der ſtarke Pilgrin in den Arm fiel.

„Halt, Weinolt, und füge zu unſerer That nicht das Verbrechen, den gebundenen Freund getödtet zu haben, oder du haſt's mit mir zu ·thun!" brüllte er drohend.

Brummend ſteckte ſchließlich Weinolt das Schwert in die Scheide, da er einſah, daſs es gerathen ſei, hier nachzugeben.

„Ich hoffe, daſs du's nicht mit Ulrich hältſt!" rief er unwirſch.

„Davon iſt keine Rede, doch das Verſprechen, Ulrichen zu ſchonen, das du gabſt, muſst du halten!" rief nun Pilgrin trotzig werdend.

Man brachte den unglücklichen Minneſänger als Gefangenen in ein feſtes Gemach, behandelte ihn aber ſonſt ziemlich gut.

Beim Lärm der Waffen war Ulrichs Gemahlin, als ſie die Lage überblickte, nicht wenig erſchrocken. Die Beſatzung wurde nicht ganz überwunden, denn es gelang noch rechtzeitig einigen wenigen, ſich mit der Burgherrin zu retten.

· ·

„Fliehet, Herrin, so schnell als möglich, denn alle, auch Herr Ulrich liegen gebunden und wehr= los. Die Schufte könnten sich an Euch vergreifen!"

„O diese Niedertracht der Freunde!" rief sie aus.

„Fort, fort, sonst seid Ihr verloren," mahnten jene.

Schnell gieng's nun durch ein verborgenes Hinter= pförtchen, durch das man in kurzer Zeit die goldene Freiheit erreichte. Alle athmeten erleichtert auf.

„Gottlob, jetzt sind wir gerettet! Doch wehe Weinolt und Pilgrin, denn die Stunde der Rache wird auch ihnen schlagen!" rief die fliehende Burg= herrin, als sie sich in Sicherheit sah.

Es gieng nun der nahen Stammburg Ulrichs zu, wo man vorläufig vor aller Verfolgung sicher war. Hier sammelte die geflohene Burgherrin in aller Eile ihre und Ulrichs Freunde, mit Hilfe deren sie 300 Mann stark schon nach dem dritten Tage ihrer Flucht die Belagerung der Frauenburg vor= nahm, den Gemahl zu befreien.

Pilgrin von Garosse, der eine der verrätherischen Freunde des Minnesängers, war in großer Ver= legenheit, da er eine so gewaltige Uebermacht vor sich sah, denn er fürchtete, daß man vor ihr trotz der Festigkeit der Frauenburg werde capitulieren müssen.

„Da sind wir ja in eine arge Falle gerathen, Freund Weinolt, und ich fürchte, daß wir in ihr

11*

untergehen," sprach Pilgrin besorgt, auf die dichten sich um die Burg lagernden Feindeshaufen deutend.

„Was faselst du da von einer Falle und vom Untergeh'n? Ich sag dir, daß wir nirgends sicherer sind, als hier auf der Frauenburg," erwiderte Weinolt in übermüthigem Tone.

„Hast du den Verstand verloren, daß du so sprechen kannst?"

„Was nicht gar! Hab mich niemals bei klarerem Verstande gefühlt, als heute," behauptete Weinolt.

„Hast du also wieder einen hinterlistigen Plan ausgeheckt?"

„Getroffen, Pilgrin!" rief Weinolt triumphierend.

„So laß also hören!" drängte Pilgrin unge= duldig.

„Laß uns lieber handeln, Freund!" mahnte Weinolt in überlegenem Tone.

Er ließ alsbald den gefangenen Ulrich, der blaß und vergrämt aussah, aus seinem Kerker holen und ihm einen Strick lose um den Hals schlingen, wo= rauf er mit dem Gefesselten, das Seil emporziehend, ans Fenster trat, unter dem die Belagerer in stür= mischer Eile ihre Vorbereitungen trafen.

„Kennt ihr den Mann da?" schrie er hinunter, nachdem er Ulrich ins Fenster gesetzt hatte.

„Ah, das ist ja unser Ulrich, der edle Ritter!" rief einer der Belagerer.

„Jawohl, das ist euer Ulrich, den ihr mit Sturm befreien wollt, was euch, ihr tapferen Recken, aber

nicht gelingen wird, denn, wenn ihr nicht gleich
abzieht, so hänge ich ihn aus dem Fenster vor euern
Augen heraus!" brüllte Weinolt mit gewaltiger
Stimme.

Die Belagerer, besonders aber Ulrichs Gemahlin
erschracken, denn dieses hatten sie nicht erwartet.

„Schonet Ulrichs Leben, ich beschwöre Euch
darum, Weinolt, bei allem, was Euch heilig ist!"
rief die Belagererin in flehendem Tone.

Weinolt lachte triumphierend, denn er hatte es
dahin gebracht, dass seine Bedrängerin zur Bitten=
den und er, der Belagerte, zum Fordernden gewor=
den war.

„Ich hab's Euch schon gesagt, dass Ihr Ulrichs
Leben nur dadurch zu retten vermöget, dass Ihr
von der Belagerung absteht und sofort abzieht!"
schrie er hinunter.

Die Belagerer waren in außerordentliche Auf=
regung gerathen, viele ließen Verwünschungen und
Drohungen gegen den abgefeimten Weinolt verneh=
men, während wieder andere zur Besonnenheit
riethen.

„Gönnt uns wenigstens Zeit, auf dass wir uns
berathen, was wir thun sollen!" rief die Belagererin
hinauf.

„Gut, Ihr mögt Euch besprechen, wie's Euch
beliebt, doch sputet Euch, denn die Zeit drängt,"
gewährte Weinolt.

Ulrichs Gemahlin hielt nun mit den Ihren einen
Kriegsrath, deſſen Reſultat der Beſchluſs war, lieber
abzuziehen und den Gefangenen zu retten, wobei
man bemerkte, daſs ſich ja noch andere Mittel und
Wege finden laſſen würden, Ulrich zu befreien und
die frechen Räuber zu beſtrafen.

„So wiſſet alſo, daſs wir abziehen werden und
daſs Ihr gemäß Eurem Verſprechen Ulrichs Leben
zu ſchonen habt. Doch weh Euch, Weinolt, wenn
Ihr nicht Wort halten ſolltet, denn wir würden
in noch größerer Stärke wieder kommen und an
Euch und Eurem Genoſſen ſchreckliche Rache nehmen,“
rief die Belagererin drohenden Tones hinauf.

Wirklich zogen die Belagerer bald darauf ab, und
Ulrich war ſammt ſeinen Bedrängern gerettet. Weinolt
ſtieß ein übermüthiges Gelächter aus, als der letzte
Feind vor der Burg verſchwunden war.

„Hab’ ich dir’s nicht geſagt, Pilgrin, daſs wir
hier auf der Frauenburg ſicher ſind?“ rief er.

„Man muſs dir’s laſſen, Weinolt, daſs du’s
verſtehſt, dich überall aus der Schlinge zu ziehen,“
lobte Pilgrin bewundernd.

Doch aus der Schlinge hatten ſich die beiden
nicht für immer gezogen, denn obzwar Ulrich auf
ſeiner eigenen Burg in Noth und Elend ein ganzes
Jahr und drei Wochen als Gefangener lag, wobei
er ſo manches ſüße Minnelied dichtete, ſo gelang
es doch nach Ablauf dieſer Zeit ſeinem lang erprobten

Freunde, dem Meinhard von Görz, ihn aus den
Banden zu erlösen und die abgefeimten Herren auf
Frauenburg zu bestrafen. Meinhard, der gleichzeitig
Reichsverweser von Steiermark war, hatte durch
diese wackere That Ulrichs Liebe nur noch mehr
gewonnen. Ulrich trat nun wieder in eine stürmisch
bewegte Zeit und ward das Oberhaupt jener Partei,
die mit opfermüthiger Treue für Oesterreich und
Steiermark kämpfte und welche sich von ihren Be=
strebungen weder durch die Einflüsterungen der Baiern,
noch auch durch das angebotene Gold der Ungarn
abwendig machen ließ. Da geschah's, daß Ulrich,
der viel Verfolgte, durch Friedrich von Pettau des
Verrathes an seinem Könige Ottokar von Böhmen
geziehen wurde. Auch viele andere steierische Edel=
herrn waren in Breslau vor dem Gerichte Otto=
kars erschienen, um sich von der gleichen Anklage
zu reinigen.

„Man wirft Euch vor, edler Herr Ritter,
daß Ihr der Hauptmann jenes steierischen Adels
seid, der sich gegen mich und meine Herrschaft
empören will. Nun sprecht und vertheidigt Euch vor
mir und dem Pettauer, der Euch beschuldigt hat!"
begann Ottokar in strengem, hochmüthigem Tone.

„Weh demjenigen, der es für gut befunden,
mich bei Euch, meinem Herrn und Könige, zu ver=
leumden, denn nichts als Lüge und Verleumdung
ist Friedrichs Beschuldigung," entgegnete Ulrich
empört.

„Glaubt ihm nicht, mein König, wenn er den Unschuldigen spielt, denn ich habe Euch die Beweise gebracht, die Ulrichs Schuld ergeben," klagte der Pettauer.

„Ich schwör's Euch bei meiner Ritterehre und Seligkeit, mein Herr und König, daß Friedrichs Klage falsch ist und daß er nur aus blinder Eifersucht mir das Verbrechen angedichtet hat," rief Ulrich feierlich.

„Das beweiset Eure Unschuld nicht, Herr Ritter!" sprach Ottokar mißtrauisch.

„So soll das Gottesgericht entscheiden zwischen mir und dem elenden Lügner!" brauste Ulrich auf, wobei er dem Pettauer den Fehdehandschuh hinwarf.

„Wohlan, Ihr wollt es so, der Kampf soll entscheiden!" rief der Geforderte, den Handschuh aufhebend.

Der Kampf, der alsbald aufgenommen wurde, entschied zwar zu Ulrichs Gunsten, doch ließ Ottokar trotzdem den durch das Gottesgericht Gereinigten mit den übrigen Beschuldigten einkerkern. So saß der Minnesänger wieder einen vollen Monat in qualvoller Haft, mußte darauf seine herrlichen Burgen und festen Bollwerke an König Ottokar abtreten, seine Kinder zum Pfande lassen und verlor auch sonst viel von seiner Habe. Sodann ließ Ottokar — es war im Jahre 1269 — Ulrichs Stammburg zerstören, die von dieser Zeit an als Ruine in Schutt und Trümmern liegt.

Des Minnesängers Bedränger aber sollen auf der Frauenburg hie und da herumrumoren, weshalb es auf der Ruine zu Zeiten nicht geheuer ist.

25. Frohnleiten. Volksbräuche und Aberglauben.

Das prächtige Murthal abwärts fahrend gelangen wir bei Frohnleiten in einen reizenden Thal=kessel, den der ungemein freundliche Ort von einer

Höhe aus beherrfcht. Hier wandelt uns die Luft an,
länger zu bleiben, um die fchöne Gegend genauer
kennen zu lernen. Durch eine Pappelallee gelangen
wir über die dunfle, wildraufchende Mur durch ein
alterthümliches, enges Thor, genannt Tabor, hinan.
Der langgedehnte Platz des Ortes ift wieder eine
prächtige, breite Allee. Und wenn wir's noch nicht
wiffen, fo hören wir's jetzt, dafs wir in einem Cur=
orte angelangt find, wo im Leben der erholungs=
bedürftigen Fremden die Curtaxe eine minder an=
genehme Rolle fpielt. Das Gebiet der Promenaden
betretend, die weit in die Wälder hineinreichen, dehnt
fich unfere Bruft beim Einathmen der köftlichen
Feld= und Wiefenluft. Lange Reihen von Obft= be=
fonders aber von Aepfelbäumen ziehen fich an den
Wegen dahin, wo wir auch öfters hinter dichtem,
fchattigem Gebüfch murmelnde kühle Quellen entdecken.
Faft bei jedem kryftallflar fprudelnden Brünnlein
fehen wir an großen Steintafeln in goldenen Lettern
allerhand Infchriften, die uns die Namen der
Brunnen, fo die Thatkrafts= und Freundfchaftsquelle,
den Lorenzborn und andere nennen. So fteigen wir
weiter und find allmählig auf eine Höhe gekommen,
wo fich uns eine hübfche Ausficht bietet und uns
die raufchenden Hallen des Waldes mit ihrem
würzigen Dufte empfangen.

Im wohligen Schatten, und Ausblicke genießend,
gelangen wir fchließlich zum reizend gelegenen Schloß
„Weier," deffen alterthümliche Formen noch an den

lauschigen Arkadengängen und den Thürmchen kennt=
lich sind. Hier hauste in längstvergangenen Zeiten
der starke und heldenmüthige Orden der Tempel=
ritter, welche sich aus einem Kriegszuge in der
Schweiz einen Riesen mitbrachten, namens Hans
Schnitzer. Diesen Mann, der von unwiderstehlicher
Tapferkeit im Kampfe war, konnten die kriegerischen
Templer bei ihren Feldzügen und bei der Ver=
theidigung ihrer Burg recht gut brauchen, denn
Schnitzer nahm's, wenn nöthig, auch mit Zehnen
allein auf und hieb alles mit seinem Schwerte kurz
und klein nieder. Natürlich speiste er aber auch im
Verhältnisse zu seinen Kraftleistungen, indem er
täglich ein ganzes Kalbl aufaß, freilich nicht mit
Haut und Haaren, — denn die wären ihm ja in
seinem großen Magen liegen geblieben —, sondern
im gebratenen Zustande. Die Tempelritter kamen ob
dieses Riesenappetites des Kalblfressers, wie man
ihn nannte, des öfteren in gar arge Verlegenheit
und mußten berathschlagen, woher denn die vielen
Kalbl zu nehmen seien? Doch Hans wollte mit Rück=
sicht auf seine Arbeit gut und kräftig verpflegt sein,
und so mußte stets für ausgiebiges Fleisch gesorgt
werden. Als nun endlich der tapfere Recke Hans
Schnitzer den Appetit verlor und zu seinen Vätern
versammelt wurde, wo's keinen blutigen Streit mehr
gab, da trugen ihn die Templer klagend nach dem
nahgelegenen uralten Kirchlein Adriach, woselbst man
den todten Haudegen, der mit seinem grimmen Stahle

so manchem Feinde das Lebenslichtlein ausgeblasen,
in einer Ehrengruft bestattete. Hier hat wohl der
unruhige Geist seine verdiente Ruhe gefunden.

Der Curort Frohnleiten bietet gar vieles, was
anderen modernen Sommerfrischen fehlt, nämlich
eine fast idyllische Ruhe, da die Anzahl der Bade-
gäste nur gering ist, und er bietet ferner trotz der
Güte des Gebotenen mäßige Preise. Dabei ist alles
rein und nett, und die Bewohner sind sehr zuvor-
kommend. Die Saison beginnt hier schon im Mai.

_____

Zur Feuerweihe am Ostersamstage bringen die
Landleute nach Frohnleiten Schwämme mit, die sie an
das vor der Kirche angezündete, geweihte Feuer
halten und auf diese Weise ebenfalls weihen. Dieser
Schwamm wird gut aufgehoben und bei einem aus-
brechenden Gewitter ein Stücklein davon ins Feuer
des Herdes gelegt, was das Einschlagen verhüten soll.

Die Weihe verschiedener Sachen, hauptsächlich
aber von Lebensmitteln findet gemäß einer weitver-
zweigten Sitte am Ostersonntag ihre Fortsetzung in
der Kirche. Denn zu Ostern, wo mit der Auf-
erstehung Christi auch die Natur zu frischem, fröh-
lichem Leben wieder erwacht, fühlt sich das Volk
gedrungen, das, was es an diesem frohen Feste essen
wird, dem kirchlichen Segen zu unterziehen. Besonders
Fleisch wird zur Weihe gebracht, da es jetzt, nach
der langen Fastenzeit, wo die Landleute zumeist nur

Mehlspeisen genossen haben, wieder zu Ehren kommt.
So bringt denn jeder seinen Korb mit Rind=,
Schweine= und Kalbfleisch, mit Guglhupf und
Getreide, so daß sich ein förmliches Marktlager aus=
breitet. Von diesem „Weihfleisch" werden Theile an
die Hausgenossen vertheilt, und jeder ißt sich an
demselben, das ihm nun als förmlicher Leckerbissen
erscheint, gründlich satt. Auch die Wirtsleute ver=
theilen an ihre Stammgäste Stücke davon, kurz
alles findet sich am Ostersonntage fröhlich zum
Schmause beim Weihfleische zusammen. Ja, wer an
diesem heiligen Tage nichts davon gegessen hat, der
glaubt wirklich, er werde das Jahr nicht überleben.

Ist der Ostermontag gekommen, so beginnt erst
das rechte Vergnügen, denn am vorhergehenden Tage,
den man wegen seiner Ehrwürdigkeit im ganzen und
großen in der Kirche und zu Hause gefeiert, sind
rauschende, weltliche Feste verpönt. Am Montag
Nachmittag also vergönnt man sich Erholung, indem
man nach dem Muster der Jünger „nach Emaus,"
d. h. außerhalb des Ortes geht.

In Frohnleiten, oder vielmehr in der Umgebung
wird der auch anderorts noch vielfach bestehenden
Gewohnheit des sogenannten „Maibaumstellens" ge=
huldigt. Das Aufsetzen geschieht regelmäßig in der
Nacht des letzten Aprils und zwar zumeist vor jenem
Gasthause, wo sich ein hübsches Dirnlein befindet.
Die Burschen, die auf das Mägdlein ein Auge ge=
worfen haben, wollen ihm nämlich mit dem Mai=

baum eine Freude bereiten und ausdrücken, daß der
holde Wonnemonat, in dem die zarte Liebe in den
Herzen sproßt, da ist. Nachdem der Baum schon
vorher gerichtet, abgeschält und aufgeputzt worden ist,
bringen ihn die Burschen in jener Nacht zu einer
Stelle vors Wirtshaus und pflanzen ihn in aller
Stille auf, denn es ist eine Hauptsache, daß niemand
in dem Hause etwas davon erfahre. Wenn in der
Früh die Wirtsleute aufstehen und den prächtig
geschmückten Baum vor'm Hause sehen, so ist die
Ueberraschung, besonders des schönen Dirnleins eine
um so größere. Der Gipfel des Maibaumes, der bis
Ende des Wonnemonates stehen bleibt, ist oft mit
Geldstücken, gefüllten Weinflaschen, Tücheln und
dergleichen behangen. Wer die Höhe erklettert, der
kann sich ein Stück nehmen und bekommt dazu noch
als Prämie vom Dirnlein ein seidenes Tüchlein
oder eine andere Kleinigkeit. Dem Wirte ist freilich
bei aller Ueberraschung die Sache auch ärgerlich,
denn er muß die Burschen für das Aufstellen des
Maibaumes freihalten und auch noch Prämien zahlen.
Sodann vergeht der erste Mai unter Sang und
Klang.

Wer eine Krankheit hat, der kann sie bannen,
indem er aus seinem Hemde ein Stück heraus=
schneidet und in das Loch eines angebohrten Baumes
steckt. Die Oeffnung muß dann mit einem Zapfen
verstopft werden, damit die Krankheit nicht etwa
wieder zum früheren Besitzer komme. Stirbt nun

dieſer, ſo muſs nach der Volksmeinung ſeine Seele
zur Strafe für das Bannen an der Stelle des
Baumes haften bleiben, bis ſie jemand erlöst. So
paſſierte es auch dem buckeligen Jogl, der ſein Fieber
in einen Baum gebannt hatte: ſein Geist blieb nach
ſeinem Tode an dieſem Baume hängen. Da fuhr
kurz nach der Beerdigung der Schul=Waſtl an der
Stelle mit ein Paar Ochſen vorbei. Der Waſtl pfiff
ſich eins vor, knallte mit der Peitſche, kurz war
guter Dinge. Da blieben auf einmal die Ochſen
ſtehen, ſchnüfelten ängstlich in die Luft und ſtierten
wie gebannt auf einen neben dem Wege ſtehenden
Aepfelbaum.

„Hü, ihr Rabenviecher! Was habt's denn da
herumzuſtarr'n?" ſchrie der Waſtl zornig.

Doch die Viecher waren nicht weiterzubringen,
ſondern ſtierten nur fortwährend auf den Apfelbaum.
Da hielt ſich der Waſtl nicht länger, ſondern hieb
mit der Peitſche drein, was er konnte. Vergebens,
die Ochſen ſprangen wohl mit den Hinterbeinen in
die Höhe, nach der Seite hin ausſchlagend, giengen
aber keinen Schritt weiter.

„'S iſt mir unbegreiflich, was die Miſtviecher
haben!" brummte er erſtaunt.

Drauf verſuchte er es in Güte, indem er ſie
beſänftigend auf den Rücken und den Hals klopfte.
Doch alles umſonſt. Waſtl wurde die Sache zu
dumm, er kehrte um, und nun hätte man die Ochſen

feßen follen, wie fie davonrannten, da es dem Stalle
zugieng.

Aehnlich ergieng's einem zweiten Bauern, fo daß
die Dorfleute in helle Verwunderung geriethen, da
fie nicht wußten, was denn beim Apfelbaume
los fei.

„Ich hab's, Leutl, ich hab's," meinte da der Dorf=
bader. „Habt's denn nit g'hört, daß der buglete
Jogl, wie er noch am Leben war, fein Fieber in
den Aepfelbaum verbannt hat?"

„'S ift fchon fo. Was geht aber das die Ochfen
an?" frug man neugierig.

„Was das die Ochf'n angeht? Des Dummtöpf'!
Wißt's denn nit, daß die Seel vom Jogl am
Apf'lbaum' pick'n blieb'n is, daß fie die Ochfen
g'feh'n und fich g'fchreckt hab'n?" frug der gefcheidte
Bader.

„Was d' nit fagft! Wär's möglich?" frugen die
Leute wieder.

„'S ift nit nur möglich, fondern wirklich fo,"
betheuerte auch ein altes Weib, „und 's ift immer
fo gewef'n."

Nun erft glaubte man die Urfache zu wiffen,
warum fich die Ochfen beim Apfelbaume fo ftörrifch
benommen. Es fanden fich bald einige, die mit Geiftern
umzugehen verftanden, nämlich: der erwähnte Bader,
die Hebamme und der Dorffchneider, welche durch
Segensfprüche und Gebete die am Apfelbaume bau=
melnde Seele des buckeligen Jogl erlöften. Bei der

12

Aufregung hatte sich aber der Bader selbst das
Fieber geholt, das er weder hinwegbadern konnte,
noch zu bannen sich getraute.

———

Will jemand seinem entfernten Freunde seine
Gedanken mittheilen, so ist das auch ganz einfach
möglich. Doch muß der erste von dem zweiten drei
Tropfen Blutes in seinem Arme haben und dieser
wieder umgekehrt von jenem. Wenn nun der eine
seinem entfernten Sympathiegenossen ohne Telegraph,
Post oder Telephon schnell etwas mittheilen will,
so muß er einige Minuten sehr eifrig an ihn denken
und dreimal seinen Namen nennen, worauf letzterer
sofort weiß, was ihm sein Freund übermitteln will.
Man heißt dies „Telegraphieren," und der Mann,
der mir davon erzählte, versicherte mir steif und fest,
daß dies vorkommen könne. Außerdem zeigte er mir
sein Zauber= und Beschwörungsbuch, welches aller=
hand geheimnisvolle Zeichen, schreckliche Figuren,
Formeln und Unterweisungen im Bannen von Geistern
und auch den nöthigen Spruch zum Telegraphieren
enthielt.

26. Ruine Pfannberg und ihre Schätze.

Im Süden von unserer Curstadt erblicken wir
auf der einen Seite der Mur Schloß Raben=
stein, dessen kühne Lage im Vereine mit dem düsteren

Namen, der eigentlich Raubenstein lauten sollte, auf
eine interessante Vergangenheit der Burg schließen
läßt — auf der anderen Seite des Flusses aber,
auf einem grünen Berge thronend, sehen wir die
Ruine Pfannberg, deren romantische Lage und
Stattlichkeit uns sogleich anzieht. Wir klimmen den
steilen Weg durch kühlen Waldesschatten hinan und
kommen zu einem großen Hause, dem ehemaligen
Maierhofe, von wo ein dienstbarer Geist uns zur Burg
des einst so mächtigen Rittergeschlechtes der Pfann=
berger führt. Wir treten durch ein Thor in einen
Hof, wo üppiges Gras wuchert, gelangen dann durch
einen zweiten Eingang, der etwas höher liegt und
den ehemals ein Thurm von runder Gestalt be=
wehrte, in einen anderen Hof, wo wir nunmehr
mitten in der Burg stehen. Zerfallen und zerbrochen
liegt diese vor unseren Blicken da, die Stürme der
Jahrhunderte sind darüber hinweggefegt und haben
das Gefüge des eisenfesten Baues gelöst. Stumm
und verlassen liegt der Burghof, wo sich dereinst
die Ritter tummelten, wo die Waffen klirrten, die
Hörner lustig schmetterten und die Jagdrüden bellten.
Ein uralter Römerstein, möglicherweise von einer
hier bestandenen Zwingburg stammend, liegt im
Thorgemäuer eingefügt, ein Stein, der drei Köpfe
theils beschädigt darstellt. Auch Ueberreste gothischer
Bauart findet man in den spitzigen Bögen. Ueber
Schutt und Gras, an zerfallenen Mauerresten vor=
bei geht's zum alten Saale, dessen Decke fehlt und

dessen noch spärliche in grellen Farben prangende
Wandmalerei durch ein schlechtes Holzdach geschützt
ist. In diesen farbenreichen Bildern haben wir noch
echte mittelalterliche Kunst vor uns, die inmitten
des Zerfalles einen umso größeren Eindruck macht.
Wir bemerken noch an den Mauerresten die ver=
schiedenen Abtheilungen der ehemaligen Burg und
steigen schließlich, nachdem der Pförtner uns die
gewaltige Thüre geöffnet, in den riesigen Wartthurm
über eine schwankende Stiege. Endlich oben ange=
langt, bleiben wir ganz überrascht stehen vor dem
reizenden Panorama, das sich hier bietet. Im Thale
zieht sich das gleißende Band der Mur durch üppig
grüne Auen mit dem freundlichen Orte Frohnleiten
und den herumliegenden hübschen Ortschaften. Frucht=
bare Felder breiten sich aus und wechseln mit kleinen
Wäldern von Obstbäumen ab, während an den bald
sanft, bald wieder steil ansteigenden Hügeln einsame
Gehöfte und Almhütten aus dem herrlichen Grün
hervorgucken. Im Hintergrunde bemerken wir hohe
kahle Berge, die oben mit Schnee bekleidet sind und
deren Wände grau zerrissen abfallen.

Nachdem sich der Fremde an diesem Bilde der
Natur satt gesehen, geht's wieder durch den unheim=
lichen Thurm hinab, in dessen Tiefe sich dereinstens
das heimliche Gericht mit der gefürchteten eisernen
Jungfrau befand. Ein schwarzes Panier mit drei
weißen Schleiern wehte ehedem von der Thurmspitze
als Abzeichen der Besitzer, welche zu Beginn des

13. Jahrhundertes sehr viele Güter besaßen, während die Glanzperiode der Burg erst in die folgende Zeit des Interregnums, in die kaiserlose, schreckliche Zeit fällt. Die Grafen von Pfannberg kämpften dann als tapfere Recken an der Seite Rudolfs von Habsburg, besonders Heinrich von Pfannberg, dessen fast ans Unglaubliche grenzende Tapferkeit mitbeitrug zur Entscheidung im Marchfelde im Jahre 1278.

Am Palmsonntage findet man nach der Volksmeinung die tiefen Keller der Ruine zur Zeit der Palmweihe angelweit offen, was dann günstige Gelegenheit bieten soll, die verborgenen Schätze zu heben. So stieg nun auch einst während dieser Zeit eine arme Frau der Ruine zu, um sich etwas von dem vielentbehrten Gelde zu holen. Und richtig waren wieder die mächtigen Kellerthüren offen, gleichsam zum Eintritte mahnend. Etwas schauernd stieg sie in die gewaltigen Gewölbe nieder, wo sie eine große Menge von Fässern an einandergereiht fand, die alle mit verschiedenen Körnern gefüllt waren.

„Ah," rief sie enttäuscht aus, „ich dachte Geld, viel Geld zu sehen, und da finde ich nur Körndl, nichts als Körndl. Doch auch diese kann ich ja brauchen und mir davon eine Menge Brot backen!"

Sprach's und machte sich daran, aus den Fässern Körner in ihre Schürze und Taschen zu füllen, doch

besann sie sich noch, welche Sorte, ob Korn, ob
Weizen oder Gerste sie nehmen solle und griff
schließlich nach einer Weile nach ersterem. Als sie
Taschen und Schürze gefüllt, machte sie sich eiligst
aus dem Staube, damit nicht etwa jemand komme
und sie schrecke. Es kam ihr auch am Ende die Sache
gar nicht geheuer vor, und sie lief deshalb, was sie
laufen konnte, ihrer Wohnung zu. Als sie hier das
Getreide auskramen wollte, bemerkte sie zu ihrem
nicht geringen Staunen, daß es nicht in Körnern,
sondern in glänzendem Golde bestehe. Außer sich
vor Freude rannte sie wieder zurück, um von dem
kostbaren Getreide noch mehr zu holen. Athemlos
in der Ruine angelangt, suchte sie nach den Keller=
thüren, doch die Eingänge waren plötzlich verschwun=
den, denn die günstige Zeit der Palmenweihe, wo
sich die verborgenen Schätze öffnen, war längst
vorüber.

Als infolge des Geredes der Leute immer mehr
Menschen kamen, um hier auf leichte Weise Geld
zu holen, so mußten, wie mir die Nachbaren der
Ruine versicherten, die Nachgrabungen nach den
Kellern von der Gutsverwaltung verboten werden.

Ein andermal war's wieder das einzige Töchter=
lein eines armen Försters, das auf Pfannberg sich
das Glück holte. Philomena war durch Schönheit,
Geist und Unschuld gleich ausgezeichnet. Das merkten
nur zu bald die Burschen der Umgebung und wett=
eiferten, der Schönen zu gefallen. Auch Sepp, der

Sohn benachbarter und reicher Förstersleute, hatte
auf das holde Dirnlein ein Auge geworfen und
wurde auch von ihm vor allen anderen bevorzugt.
Er konnte zwar nicht schön genannt werden, aber
seine fesche Jägertracht, sein keckes Hütl mit der
schneidigen Hahnenfeder, der sprossende Schnurbart
und sein kühner Muth, den er bei Ergreifung von
Wilderern bezeugt, hatten für Mädchenaugen etwas
sehr Anziehendes. Kurz die beiden hatten einander
halt, wie's eben kommt, bald lieb gewonnen, wovon
anfangs die Eltern gar nichts wußten. Und als
endlich nicht blos Philomenas, sondern auch Sepps
Vater dahinterkamen, wollte letzterer von einer Ver=
bindung fürs Leben nichts wissen, obgleich ersterer
nichts dagegen gehabt hätte.

   „Hör' mir mit der Betteldirn auf, ihre Eltern
sind so arm, wie die Mäuse auf Pfannberg!" eiferte
der reiche, stolze Förster mit Sepp.

   „Ihr thut ihr Unrecht, Vater, wenn sie auch
kein Geld hat, so ist sie doch schön wie ein Engel
u d gar so brav," vertheidigte Sepp seine Philomena.

   „Ein Engel ist sie?" lachte der Förster gering=
schätzig. „Das weiß man schon, wie's damit aus=
sieht. Auf so eine hübsche Larve, die dich vernarrt hat,
geb' ich gar nichts."

   „Wenn Ihr sie nur kennen würdet, Ihr würdet
ander's sprechen" eiferte Sepp.

   „Nie und nimmer werd ich mich eines andern
besinnen," that der Alte barsch.

Sepp verließ in großer Aufregung und schweren
Herzens seinen Vater, mit deſſen Zorn und Ent=
ſchloſſenheit, wie er wußte, nicht zu ſpaſſen war.
Sepp liebte ſeinen Vater, aber bei der unbegreif=
lichen Verachtung, die dieſer Philomena entgegen=
brachte, war im Herzen des Sohnes doch ein Stachel
zurückgeblieben und dies umſomehr, als der ſchroffe
Förſter ſchließlich jeden Verkehr mit dem Gegen=
ſtande der Herzensneigung verbot. Sepp brachte es,
obzwar er pflichtgemäß ſeinen Vater in allem
ehrte, doch nicht übers Herz, Philomena für
immer aufzugeben, und ſo fanden die Liebenden
Mittel und Wege, ſich zu ſprechen. Oben auf der
Ruine Pfannberg, wohin ſich ſelten eines Menſchen
Schritt verirrte und die Eulen niſteten, kamen ſie
zuſammen, betheuerten einander ihre Liebe, klagten
ſich ihr Leid und verſprachen ſich, von einander nicht
zu laſſen und nicht zu ruhen, bis ſie von Prieſters=
hand fürs Leben vereinigt ſeien.

So gieng eines Abends Philomena wieder den
ſteilen Weg zur Ruine hinan. Blutigroth neigte ſich
die Sonne hinter die grünen Berge gegen Weſten,
als das Mädchen das ihr nur zu gut bekannte, liebe
Plätzchen des Stelldicheins erreichte. Allmählig brach
die Dämmerung herein, während Philomena ſehn=
ſüchtig nach ihrem Sepp auslugte, der für heute
die Zuſammenkunft beſtellt hatte, aber weiß Gott
warum nicht kommen wollte. Schon woben ſich
zarte, geiſterhafter Nebelſchleier im Thale an den

Berghängen hinan, die Thurmuhr von Frohnleiten schlug die 9. und die 10. Stunde, doch der Erwartete erschien noch immer nicht. Vielleicht hat er sich verspätet, dachte das Mädchen und beschloß, noch einige Zeit zu warten. Darauf sandte sie heißes Gebet zum nächtlichen Himmel, Gott möge den treuen, reinen Liebesbund doch endlich am Altare einsegnen. Da gieng die Silberscheibe des Mondes ober den zerrissenen Mauern der Burgruine auf und goß eine Fülle magischen Lichtes auf die prächtige Nacht. Lange, gigantische Schatten werfend stand jetzt die Ruine fast gespenstisch da in dem nächtlichen Zauber, der durch das Funkeln von Millionen Sternlein am dunkelblauen Himmel vervollständigt wurde. Dazu erfüllte würziger Harzduft der schwarzen, dicht herumstehenden Tannen und Kiefern die frische Nachtluft und dazu lief ein geheimnisvolles Rauschen durch den Wald, und die auf den Mauertrümmern einzeln stehenden Bäume wiegten in dem Winde ihre Wipfel. Geisterstimmen schienen aus dem Rauschen zu sprechen, so daß Philomena leise zusammenschauerte und fröstelnd ihr warmes Tuch enger um den Leib zog. Daß ihr sonst so traute Plätzchen ward ihr in der nächtlichen Einsamkeit jetzt auf einmal unheimlich, sie wollte fort, nach Hause, doch sie fürchtete sich, in den dunklen Wald zu treten. Da ertönte hinter ihr ein Geräusch, erschrocken sah sie sich um, konnte aber nichts bemerken. Schon wollte sie fiebernd

theils vor innerem Zagen, theils vor dem immer
schneidiger werdenden Lüftchen ihre Schritte dem
Thale zulenken, als ihr ein Windstoß das Tuch
vom Kopfe riß. Jenes war auch sofort ver=
schwunden. Als sich Philomena von ihrem Schrecken
erholt hatte, schlug eben die Thurmuhr die elfte
Stunde. Eilenden Schrittes, so schnell es eben
bei dem Zwielichte des Mondes gieng, lief sie davon,
ihrer Wohnung zu. Am andern Morgen erzählte sie
das Erlebnis ihrer Mutter, die sie wegen des nächt=
lichen Ausganges strenge tadelte. Als man dann
zur Ruine gestiegen war, um das Kopftuch zu holen,
konnte man es lange nicht finden, endlich aber
entdeckte man es in einer Mauerspalte. Die Be=
mühungen, es herauszuziehen, hatten keinen Erfolg,
so daß man sich höchlichst verwunderte, wie denn
der Wind es so fest hier habe anmachen können?
Erst mit Hilfe einer Brechstange gelang es endlich,
die Mauerstücke herauszuheben und das Tuch zu
bekommen. Unter den ausgehobenen Steinen ent=
deckte man eine große eiserne Platte und bei wei=
terer Nachforschung darunter eine Höhlung, in
welcher eine alterthümliche Kiste ruhte. Bei Oeffnung
derselben fand man eine große Menge blinkenden
alten Geldes, das den armen Förstersleuten sehr
willkommen war.

Sepp, welcher in der kritischen Nacht der Wild=
diebe halber hatte Wache halten müssen, und sein

Vater hörten bald vom Glücke der armen Försters=
leute. Und als jener später einmal Gelegenheit hatte,
die liebliche Philomena kennen zu lernen, so hatte
er, da diese nicht mehr arm war, gegen eine Heirat
nichts mehr einzuwenden.

27. Das merkwürdige Kloſter.

Graf Ulrich, einer der Herren von Pfannberg, welcher zu Beginn des 14. Jahrhundertes lebte, die Würde eines Marſchalls von Oeſterreich u. Hauptmanns von Kärnten bekleidete, iſt unter die würdigſten Männer jener Periode zu reihen, wie Tangl Karl=

mann in seiner Schrift „Die Grafen von Pfann=
berg" erzählt, denn Ulrich vereinigte in seiner Person
die schönsten Eigenschaften, nämlich Weisheit, Frei=
gebigkeit, Starkmüthigkeit, Gerechtigkeit und Mäßigung,
Eigenschaften, wie sie damals im wilden Zeitalter
des Faustrechtes selten zu finden waren und welche
der Dichter Suchenwirt auch nach Gebühr würdigte.
In poetisch=sagenhafter Weise berichtet er uns, wie
Männer und Frauen um den verblichenen Grafen
trauerten.

Suchenwirt gieng eines Tages von der Burg
Pfannberg ins Gebirge hinein und sah plötzlich ein
Kloster vor sich, von dem er früher weder etwas
gehört, noch gesehen hatte. Schön und prächtig ge=
baut, zeigte es erhabene Formen und herrlichen
Schmuck von geschnittenen Steinen, kurz es offen=
barte überall die kunstfertige Hand eines großen
Meisters. Neben diesem Zauberbau floß ein kry=
stallklares, kühles Brünnlein aus dem Berge, an
dessen Wasser sich der durstige Suchenwirt, nachdem
er sich daneben auf eine Steinplatte gesetzt, erquickte.
Es dauerte nicht lange, als aus der Pforte ein Kloster=
bruder heraustrat.

„Gott zum Gruße, lieber Herr!" grüßte der
schwarze Mönch.

„Ich dank' dir für die Freundlichkeit, lieber
Bruder!" entgegnete der Begrüßte.

Alsbald setzte sich der Mönch zutraulich zu
Suchenwirt auf den Stein.

„Sag' mir nur, lieber Bruder, was denn doch
dies merkwürdige Kloster in der Wildnis, das ich
nie gesehen, zu bedeuten hat?" frug der Dichter.

„Darüber will ich dich, guter Fremdling, wohl
bescheiden," antwortete der Mönch freundlichen Tones,
„denn vernimm, daß wir Brüder, die wir in diesem
Kloster hausen, die Gotteskinder genannt werden,
die sich von der Welt zurückgezogen haben, um von
ihrem Trug und Spott ungeschoren zu bleiben. Mit
Beten, Lesen, Singen und Arbeiten dienen wir Gott
und der hl. Jungfrau. Das thun wir Tag und
Nacht, indem wir die sieben Zeiten beten. Keinem
Bruder ist's verleidet, diesen Dienst zu thun dem
höchsten Herrn, damit die Seele, die er dem Menschen
gegeben, gesunde."

„Wohlan, Bruder, so laß mich ins Kloster geh'n,
auf das ich euer heilig Leben betrachten kann," bat
der Dichter.

„Williglich werd ich die Bitt' gewähren, damit
du siehst den wahren Frieden, den uns Gottes Sohn
gegeben."

Drauf führte der Mönch den Fremden ins Kloster
und in die Kirche. Als sie zum Hochaltare kamen,
erstaunte Suchenwirt über den Schmuck von „Heilig=
thümern," von Krystallen, Elfenbein, Beryllen und
anderen Kostbarkeiten. Auch kann man's gar nicht
sagen, wie herrlich das Leuchten war, denn der
Glanz der Steine gleiste fast um die Wette mit
der Sonne. Besonders die in Gold gefaßten Gläser,

deren es so manche gab, und die Partikeln von dem
Kreuz, woran Gott gelitten, waren von großem
Werte. Eine solche ergriff der Klosterbruder, bestrich
damit Suchenwirt und gab ihm den Segen. In der
Nähe dieses Altares war eine Grabstätte, neben
welcher der Dichter sechs Frauen mit kummerhafter
Miene sitzen sah und mit trauernder Stimme klagen
hörte, während ihnen gegenüber sechs Ritter saßen,
deren Herz durch bitteres Leid verwundet schien.

„Verzeih, Bruder, wenn ich eine neue Frage
an dich richte! Sag mir doch, bei Gott, warum die
Frauen klagen und die Ritter so traurig sind?"
frug Suchenwirt abermals neugierig.

„So hör es denn, der Graf Ulrich, der an hohen
Würden reich war, lieget hier begraben, ein Graf,
über den noch Ritter, Knechte und Frauen klagen,
die sein Ingesinde waren."

„Nun thue mir auch kund, ich beschwöre dich, wie sie
mit Namen sind genannt," bat Suchenwirt.

„Ich thu dir's gerne kund, die Frauen, die da
klagen, heißen: Zucht, Maß und Scham, Wahrheit,
Stetigkeit und reine Tugend. Denn die pflegte Ulrich
ja von Jugend auf und setzte sie in seines Herzens
Schrein. Die Ritter aber, die hier trauern, ich mach
sie dir nun auch bekannt: der erste Gottlieb ist ge=
nannt, dann kommen Ehrwart und Getreuwart, die
nie von ihm gewichen sind, Herr Mildemar und
Adelger, die gaben ihm stets reiche Lehr, der sechste,
Mannhaft, hat nie in seinem Leben, so er stritt,

dem Feinde sich ergeben," belehrte der Mönch den wissensdurstigen Dichter.

Nun huben die Frauen zu klagen und zu trauern an.

„Ein unzüchtig' Wort ward nie von seinem Mund vernommen, ich hab' mich um ihn angenommen, und er, er liebte mich, denn er war unzüchtigen Sitten, womit er mich verunehrt hätte, gram," ließ die Zucht die Klage um ihren treuen Hort ertönen.

„Ich hab' an ihm so viel verloren, daß ich's nimmer kann verwinden. Ich war der Brunnen, der ihn tränkte und der grüne See, der ihn er= quickte, ich war als Schatz in seinem Herz ver= schlossen. Nimmer hat er sich vergessen, ohne Maß zu schimpfen und zu scherzen, bei Trank und Speise hielt er rechtes Ziel, sowie im Schlafen und im Wachen," ließ sich das Maß trauernden Tones ver= nehmen.

„Ach, wie hat sich meines Herzens Schwere doch vergrößert, seit ich entbehre meines Horts, seit Ulrich ist dahin! Er verstand's, wie keiner, mich zu hegen in seinem wohlgezähmten Sinn, da er sich schämte jeder Unbill, sowie jeder schwachen That," hub die Scham ihre laute Klage an.

„O sagt mir doch, wohin ich gehen und wo ich Trost nun finden soll? Seit ich von ihm verbannet bin, — er hatte mich so fest in sein Gemüth ver= schlossen — sind meine frohen Tage hin. Der Wahr= heit Quell entsprang in seinem Herzen und staute

13

sich zum Fluß, der schlichten Worte vollen Guß
hört' man stets von seinem Munde," jammerte betrübt die Wahrheit.

„Ich hatte mich mit voller Lust zu ihm gesellet, doch
meine Süßigkeit ist worden sauer. Ob ich es über-
wind' und überdauer? Er übte ganze Stetigkeit, hat
nie den Weg mit Fleiß verlassen, den mit Umsicht
er betrat," rief die Stetigkeit klagend aus.

„Schon in seiner frühen Jugend nahm er mich, die
reine Tugend, zu froher Ehe bei sich auf. Solch tugendhafte Minne sah ich nie, noch werd' ich je sie sehen. Was
hat der Tod an ihm gethan, daß er sein Leben hat ver-
heeret? Ihn, der zu keiner Zeit und Stund' mir an Ehren
wurde wund, hat die Menge sehr verkannt. Deß' schrei ich
ach und weh, die Freud' bei mir wird nimmer laut,
denn nur er war meine Freud' und ich war seine
Traute. Sein guter Sinn stand nur dahin, zu dienen
mir, das mochte mir sehr wohl behagen! Sein Herz
war ganz in mich verwandelt, die Mutter aller
Seligkeit, des Reichen wie des Armen ließ er sich
erbarmen; der Klage gab er Trost, aus Sorgen hat
er die erlöst, die der Hilf' entbehrten. Jetzt, da er
nicht mehr ist, ist groß mein Jammer und mein
Ungemach!" klagte die Tugend.

Nun ließen die trauernden Rittersleute ihr Lob
auf den dahingeschiedenen Herrn und ihre Klage um
ihn vernehmen.

„Dem Herrn hab ich mit Lust gedient, der Gott
vor allen Dingen ehrte, wovon die Arbeit nicht

ihn hemmte. Zum Beten stets bereit, zum Fasten
und zum Kirchenh'n, schnitt er den Armen Kleider
an und speist' sie Tag für Tag im Dienste Christ's,
des Reichen," sprach Gottlieb.

„Auch meine Klage klinget schwer, er litt nur
Schmerz durch ehrenhaften Handel, doch war sein
Lob, noch als er lebte, auch nicht stumm. Mit Ehren
ward er alt bei all dem Gut, bei Schatz und viel
Gewalt," ließ sich Ehrwart vernehmen.

„In treuem Rathe war er schlicht, nicht durch Lob und
nicht durch Gab' bezwungen, hat er bei Hofe je sein Wort
gebrochen und nicht auf fremde Seite sich geschlagen.
Er war wohl besonnen, er rieth mit Gott für Recht
und Ehr. Die Treu' nahm ich mit Freuden wahr,"
lobte der Dritte, namens Getreuwart.

„Den Herren mein, dieweil er lebte, fand ich nie
der Mild' entlößt, durch gute Gabe, rechten Lohn
strebt' er die rechte Ritterehre an. Nie hörte ich
fürwahr, dass, wer begehrte, ohne Gab' von ihm
geschieden wäre, sei es Ritter oder Knecht gewesen,"
klang Mildemars Rede.

„O weh! Nimmer ich so Lieb's gewinne! In
seinem Herzen war die Minne, erfüllt von reinem
Edelsinne, gemeinem Wesen war er gram, nie macht'
sein Ehrgefühl dem Adel Schande," rief Adelger aus.

„Der Freuden bin ich ganz entäußert! Er hatt'
zum Vorbild mich genommen, im Gewühl der Feinde
kannt' er's wohl, den blanken Speer zu schwingen,
vor Gamelsdorf zeigt' er den Feinden seine Löwen=

13*

kraft, und unter seines Schwertes Schlägen verlor
der Feind den sichern Sieg. Hier ward ihm Ritter=
ehr' zutheil. Er stritt zu Tuschken unverzagten
Muth's, zu Ezzelingen hieb er in die Feinde, und
jeder mußte straucheln, mit dem er nahm den
Stoß. Und auch vor Padua entbehrt' er nicht des
Muthes, und mancher ward des Lebens ledig. Vor
Chötzse setzt' er zu dem Feinde ungemach, es ward
zutheil das Wappen ihm von Steier, der Schild, der
ungeheure, ward ihm gezieret mit Rubein, mit
Rauten, schönen Perlen sein, und Hahnenfedern
wehten kühn anf seines starken Helmes Dach. Das
war Herr Ulrich, Graf von Pfannberg," beschloß
Mannhaft, der sechste Ritter, die Klagen und
Lobreden.

Suchenwirt hörte die Reden der Frauen und
Ritter und ward selber dabei recht traurig, worauf
auch er sein Leid um den todten Helden Ulrich vor
dem Klosterbruder ausschüttete.

„Solch' Klage hört ich nie um einen Mann,
der 's wohl verdienet hätte, noch langehin sein
tapf'res Schwert zu führen für Recht und Ehre.
Ein klagend Wort, es gelt' ihm auch von mir, es
gelte ihm, der der Edlen Schutz und der Bösen
Furcht. Gott setze seine Seele auf die Wage, auf
daß Sanct Michel ihn zum ew'gen Frieden wiege!"
sprach er zum Mönche, worauf dieser von ihm schied.

Das Kloster aber verschwand vor den Augen Suchen=
wirts ebenso geheimnisvoll, wie es erschienen war.

28. Eine tapfere Gräfin.*)

Im Jahre 1268 hatten die Grafen Bernhard und Heinrich von Pfannberg mit Ottokar von Böhmen, ihrem nunmehrigen Herzoge, gegen die heidnischen

*) Bearbeitet nach kurzen Daten aus der „Grazer Morgenpost" 1880. Nr. 129—130.

Preußen einen Kreuzzug unternommen. Als man zurückkehrte und in Breslau ein Lager aufschlug, wurde gegen den Herzog eine Verschwörung entdeckt, an welcher betheiligt zu sein man unter anderen auch jene beiden Pfannberger beschuldigte. Ottokar ließ die Verschwörer festnehmen, und die adeligen Steirer fanden keinen anderen Ausweg, dem drohenden Verderben zu entgehen, als den, daß sie dem Herzoge fast alle ihre Güter übergaben. In Pfannberg war unterdes die Gemahlin Agnes des im Gefängnisse schmachtenden Bernhard auf die Vertheidigung der Burg bedacht. Im Mai des folgenden Jahres rückten die Kriegsscharen des Böhmenkönigs vor die übergebenen Vesten der gefangenen Brüder, zuerst vor Peggau, erstürmten und zerstörten es, und dann vor Pfannberg. Hier hatten sie aber nicht so leichten Stand, denn die Burg war wohlbefestigt und von Agnes, dem tapferen Weibe, vertheidigt.

Ein Herold mit weißer Fahne und schmetterndem Horne nahte sich der Burg.

„Ich fordere Euch, Gräfin Agnes, im Namen Ottokars, meines Königs, auf, die von Eurem Gemahle Bernhard ihm übertragene Feste Pfannberg zu übergeben, ansonsten wir sie mit Gewalt brechen würden," rief er drohenden Tones.

„Oho, Ihr verlangt zu viel. Glaubt Ihr etwa, Ihr hättet feige Memmen vor Euch, die vor Eurer lächerlichen Drohung in Angst gerathen?" spottete Agnes.

„Dann werden wir Feuer und Schwert walten lassen und nicht eher ruhen, bis wir selbes in Eurem Blute geröthet," rief der Herold.

„Bringt Euren böhmischen Schädel in Sicher= heit und verkündet Euren Brüdern, dass wir nicht weichen, da wir Pech, Schwefel und Stahl genug haben, Euch die Knochen zu brechen," drohte die muthige Gräfin.

Der Herold eite, seine Haut in Sicherheit bringend, so schnell als möglich zum Lager der Böhmen, die sofort die Burg berannten. Doch da hagelte es Steine, Balken, Pech= und Schwefelkränze auf die Belagerer nieder, so dass so mancher liegen blieb.

„Alle Wetter, die Schufte sind gut gerüstet, da müssen wir's mit anderen Mitteln anfangen, denn die Burg muss unser werden," brüllte Boleslaw, der Böhmenanführer, zornig.

„Und die Vorräthe sammt den schönen Weibern dazu!" grinste Wenzel, ein dicker Lanzknecht.

„Nun vorwärts, Leute, versucht's mit Euern Sturmleitern dort drüben in der Ecke, wo mir eine schwache Stelle zu sein scheint!" commandierte Boleslaw mit dröhnender Stimme.

Man versuchte es nun an der Stelle, während andere heimlich die Burg von der entgegengesetzten Seite zu erklimmen trachteten. Man gab sich den Anschein, als ob man am ersteren Punkte die ganze Macht vereinige und wollte so die Belagerten über= rumpeln. Doch die Steirer bemerkten bald die List und trieben die Böhmen mit blutigen Schädeln zurück, wobei sie mit langen Hackenstangen die Sturmleitern umzustürzen suchten. Die Stürme wurden alle zurück= geschlagen, und schon ein Drittel der Böhmen lag mit zerschlagenen Knochen da.

„Ha, die Schurken!“ wüthete Boleslaw, „die besten meiner Leute haben sie erschlagen. Doch weh ihnen und weh Dir, stolze Gräfin, noch ist nicht aller Tage Abend, denn Pfannberg muß erobert werden, und koste es, was es wolle.“

Die Kriegsknechte der Burg höhnten von den Mauern herunter.

„Heil euch, ihr tapferen Böhmen, habt ihr euch an unseren Mauern die Eisenschädel eingerannt? Nun sucht euch die zerschlagenen Knochen zusammen!“ klang ihr Spott zu den Belagerern.

„Ihr dummen Wichte, ihr habt hinter den festen Mauern leicht lachen. Doch habt nur Geduld, in kurzem hoffen wir euch mit böhmischem Stahle zu kitzeln!“ schrieen die Söldner Ottofars.

„Da könnt ihr warten, ihr Narren, bis die Steine reden!“ ertönte es von oben.

Boleslaw sah kein Mittel, die feste Burg zu nehmen, so daß er sich zur Aushungerung derselben entschließen mußte. Die Belagerung hatte schon über 14 Tage gedauert, und noch war nicht der geringste Erfolg zu verzeichnen, denn die Pfannberger waren durch einen unterirdischen Gang mit Rabenstein ver= bunden und konnten von hier aus Hilfsmittel be=

kommen. Da stieg eines Abends der kleine Sohn des Burgvogtes am Berghange außer der Burg herum, Erdbeeren suchend, wobei ihn einige böhmische Söldner erblickten.

„Da sieh den Knaben, Bohumil, wie er am Berge herumklettert! Möcht nur wissen, wie der da herausgekommen!" rief Bretislaw, der eine der Kriegsknechte, seinem Gefährten zu, auf den oben herumgehenden Knaben zeigend.

„Ha, und jetzt sieh' nur, wie er auf einmal in den Felsen verschwindet!" meinte der Angesprochene erstaunt.

„'S wird doch kein Geist sein!" fuhr der erstere fort.

„Ein Geist? Unsinn, Bretislaw! Hast du nicht gesehen, wie er dort sich Beeren suchte und aß? Und ein Geist ißt doch keine Beeren," entgegnete Bohumil aufklärend.

„Kannst recht haben, Freund!"

„Ist dir weiter nichts eingefallen?" frug Bohumil.

„Was soll mir denn einfallen?"

„Einem vernagelten Schädel fällt freilich nichts ein. Doch hör' mich an! Der Bube ist durch ein Felsenloch in die Burg zurückgekommen und durch dieses Loch müssen auch wir hinein, und Pfannberg sammt seinen Schätzen gehört uns," rief Bohumil triumphierend.

„Meiner Treu, du hast's getroffen!"

„Sieg und Heil den Böhmen!" jubelte Bochumil.

„Und meinem klugen Freunde!"

Bohumil eilte, seinem Hauptmann die kostbare Entdeckung mitzutheilen.

„Ha, wenn's möglich wäre, was du sagst, so würde deiner für die Entdeckung großer Lohn harren!" rief Boleslaw überrascht aus.

Die Böhmen hielten Kriegsrath.

„Wißt ihr was, wir brechen unsere Lager sofort nieder und ziehen zum Scheine ab, um die Pfann=berger saumselig zu machen, während Bohumil das Felsloch untersucht. Um Mitternacht kommen wir zurück und ziehen dann als Sieger in die Burg ein," rieth einer der Officiere.

„So kann's wahrhaftig geh'n!" stimmte Boleslaw zu, der sofort den Aufbruch befahl.

Als die Pfannberger ihre Belagerer abziehen sahen, herrschte großer Jubel, denn nun glaubte man sich aller Sorge ledig. Agnes ließ ihren Kriegsknechten den besten Tropfen aus dem Keller holen und be= wirtete sie mit gebratenem Fleische.

„Ich trau der Heimtücke der Böhmen nicht recht," ließ ein altersgrauer Krieger seine Zweifel laut werden, „sie holen am Ende Verstärkung und kommen zurück."

„Was krächzst du da, Alter? Die Böhmen zurück= kommen? Die haben sich ihre Prügel geholt und werden sich hüten," spöttelte ein jüngerer Söldner.

Die Pfannberger überließen sich ungemessener Freude, aßen, zechten und sangen Lieder. Als sich

die Mitternachtsstunde näherte und in der Burg
noch der ungebundenste Uebermuth herrschte, stieg
eine Schar bis an die Zähne gerüsteter Böhmen
unter der Führung Bohumils jener Felsspalte zu,
kroch durch die Oeffnung, gelangte unter Fackelschein
in einen engen Gang und zu einer eisernen Thüre,
welche nach Ansicht der Böhmen jedenfalls in die
Burg führen musste. Das Hinderniß ward gebrochen,
und die Belagerer drangen in den Burghof, wo die
Vertheidiger betrunken ihre Lieder sangen. Der
Schrecken der Ueberrumpelten war kein geringer,
als sie so plötzlich ihre Feinde vor sich sahen. Diese
begannen, da sich erstere für den Ueberfall nicht vor=
gesehen hatten, ein schreckliches Gemetzel, aus dem
sich nur etwa 15 Kriegsknechte der Gräfin in den
starken Thurm retteten, wo die Gebieterin, seit die
Bestürmung der Burg begonnen, ihre Wohnung
aufgeschlagen hatte. Bald hatten die Böhmen auch
den unterirdischen Gang besetzt und das Burgthor
gewonnen, durch das sie die zweite Schar ihrer
Kampfgenossen einlassen wollten. Unterdes war Agnes
im Thurm von dem Lärme des Kampfes wach ge=
worden, hatte das Schreckliche, an das sie nicht im
Traume gedacht, sofort überblickt und, während jene
fünfzehn Getreuen zu ihr hinaufstürmten, Schild
und Schwert ihres gefangenen Gatten genommen.
So erschien sie vor den Ihrigen zornfunkelnden
Blickes, in kampfgieriger Stimmung.

„Auf, Freunde, Krieger! Wir werden uns um keinen Preis ergeben, sondern uns mit dem Schwerte in der Faust entweder durchschlagen und aus der Burg zu kommen trachten, oder, wenn's uns beschieden ist, lieber ehrenvoll verbluten, als lebendig in die Krallen dieser Hyänen zu fallen!" rief sie ihnen zu.

„Heil Euch, tapfere Herrin von Pfannberg! Auf in Sieg oder Tod!" brüllten die Söldner begeistert.

So stürmten die tapferen Steirer, die kühne Gräfin in ihrer Mitte, aus dem Thurmthore hinaus in den Burghof, auf den fast zwanzigmal stärkeren Feind los.

„Nieder mit den Böhmen, Rache unseren gefallenen Freunden!" tönte ihr Schlachtruf schauerlich in die Nacht, in den von Fackeln blutroth beleuchteten und von Feinden wimmelnden Hof.

Der Kampf oder vielmehr ein schreckliches Handgemenge begann, die Pfannberger fochten mit dem Muthe der Verzweiflung und hieben wuthentbrannt auf die Böhmen ein, welche trotz ihrer Ueberzahl vor der unvermutheten tollkühnen Tapferkeit der Pfannberger momentan bestürzt worden waren. So hatten sich diese, alles vor sich zusammenhauend, den Weg zum offenen Burgthore gebahnt und jubelten bereits, als Agnes, von einem Streiche getroffen, stürzte, was auf die Jubelnden gerade in dem Augenblicke, wo an eroberter offener Pforte die goldene Freiheit

winkte, geradezu niederschmetternd wirkte. Das be=
nützten die Böhmen sofort, drängten in ihre Feinde
und überwältigten alle bis auf zwei, welche noch
rechtzeitig durchs Thor sprangen. Die verwundete
Gräfin hatte sich, alle erlahmende Kraft zusammen=
nehmend, erhoben und den Böhmen, der ihr das
Thor verstellte, mit dem Schwerte niedergehauen,
stürzte aber selbst, von einem anderen Hiebe getroffen,
zu Boden, worauf ihre röchelnde Brust vom Stahle
durchbohrt ward. Das Heldenweib hatte aus=
gerungen, worauf die blutigen Sieger unter den
Leichen die That feierten, jeder Menschlichkeit Hohn
sprechend. Die Burg wurde gebrochen und dann
an allen vier Ecken angezündet. Als die Böhmen
endlich von der rauchenden Ruine abzogen, von der
nichts als der Thurm bezeugte, daß hier eine
mächtige Feste gestanden, war die Leiche der Burg=
herrin spurlos verschwunden, was den Eroberern
sehr ärgerlich war, denn der von Ottokar in Graz
bestellte Statthalter hatte ihnen befohlen, die Herrin
der Burg entweder todt oder lebendig einzuliefern.

Sobald sich nun das Ereignis jährt, das heißt,
wenn die erste Vollmondnacht im Juni herange=
kommen ist, erscheint die tapfere Gräfin Agnes wieder
mit ihren kühnen Getreuen, nach ihren Feinden aus=
lugend und das Schicksal der Burg beklagend.

29. Der Montforter und seine Witwe.

$\mathfrak{H}$ugo von Montfort, der Sohn Wilhelms von Montfort, war Herr zu Bregenz und mit den österreichischen Herzogen blutsverwandt, die ihn deshalb ihren lieben Oheim hießen. Mit Oswald von

Wolkenstein zu den letzten deutschen Minnesängern
gehörend, heiratete Hugo die Herrin auf Pfannberg,
namens Margarete die Jüngere, welche die Witwe
nach dem verstorbenen Grafen Johann von Cilli
war. Gleichzeitig fand auch die Hochzeit von Hugos
Vater mit der Mutter seiner Braut statt, also eine
gewiß sehr seltene Doppelhochzeit, und zwar im
Jahre 1373. Hugo ward durch diese Verbindung
Herr auf Pfannberg und auf der Veste Luginsland,
bis er 1423 starb. Einbalsamiert setzte man ihn auf
der Burg Alt-Pfannberg in einer prächtigen Gruft
bei, deren herrliche, kunstvolle Fresken noch
aus dem Zerfalle der Vorzeit weit in die Neuzeit
herüberprangten. Es zeigten sich hier auch zwei Wappen
der Grafschaft Pfannberg, nämlich zwei Kronen mit
schwarzen Streifen in goldenen Feldern neben ein=
ander stehend. Das Grabmahl war bei der Kapelle,
wo noch jetzt einzelne Malereien sichtbar sind, er=
richtet worden. Hier ruht also der alte Minnesänger
von seinen Thaten aus. Unter einem Relief befand
sich die Inschrift: „Im Jahre 1423 starb Hugo
Graf v. Montfort, Herr zu Bregenz, am Tage des
hl. Bischofs Ambrosius.“ Jetzt wuchern Nesseln um
die Schrift, und Füchse hausen in dem Gemäuer.*)

Hier auf Pfannberg hatte Hugo seine sinnigen
und minnigen Lieder gedichtet, während er im

---

*) Vergleiche auch: Puff, Marburger Taschenbuch,
„Grab des letzten Minnesängers Hugo v. M.“

rauschenden, harzduftenden Walde auf seinem Rosse
dahinritt, wobei ihn sein getreuer Diener Burk
Mangolt begleitete, um die gedichteten Lieder auf=
zuschreiben und sie später in Musik zu setzen. In
diesen Liedern, die sich in einer Sammlung in
Heidelberg befinden, haben wir also eine Probe
mittelalterlich=steirischen Gesanges, der zu den dama=
ligen, ritterlichen Zeiten in den grünen, herrlichen
Thälern wie auf den luftigen Höhen aus den Kehlen
luftiger Brüder erschallte.

Nach Hugos Tode war seine Witwe, die lieb=
reizende Veronika — bereits eine weitere Gemahlin
nach jener Margarete der Jüngeren von Pfannberg
— ganz untröstlich darüber. Trotz unzähliger Heirats=
anträge von Seite tapferer Herren und Ritter ließ
sie sich zu einer weiteren Ehe doch nicht bewegen,
sondern trat als Nonne ins Kloster zu Göß in Ober=
steiermark ein.

Lange, lange nach diesem Ereignis gab Wolf=
gang von Montfort, der zu den Nachkommen dieser
Veronika gehörte, auf seiner Feste zu Peggau, wo
er in Saus und Braus dahinlebte, im Fasching des
Jahres 1496 ein Fest, bei dem es gar übermüthig
und lustig herrgieng. Zu diesem Feste lud er außer
anderen Verwandten auch seine uralte Vorfahrin,
die noch lebende Nonne Veronika in Göß, auf deren
Kommen wohl niemand rechnete. Doch das Unge=
ahnte geschah, die Nonne erschien um Mitternacht in
geheimnisvoller Weise bei dem Faschingsbankette

und machte sogar zum Staunen aller ein Ehren=
tänzchen mit, „denn gerade vor hundert Jahren in
derselben Nacht und Stunde war's, wo ich mit
meinem lieben Gemahle Hugo im frohen Hochzeits=
reigen mich geschwungen," sagte sie, worauf sie
ebenso geheimnisvoll verschwand, wie sie gekommen'
war. Nicht lange darauf hörte man die Botschaft,
sie sei in der fraglichen Nacht und zwar gerade in
der 12. Stunde, wo sie in Peggau erschienen, in
Göß gestorben, worüber die Bankettheilnehmer nicht
wenig erschrocken waren, denn nur ihr Geist konnte
bei dem Bankete erschienen sein.

Daß aber Veronika so innig an ihrem Gemahle
gehangen, ist wahrlich kein Wunder, wenn man er=
fährt, wie sinnig Hugo die Frauen ehrte und schätzte,
denn in einem seiner Lieder heißt es:

> „Wer über Weiber übel spricht,
> Den wird es noch gereuen,
> Ihm wird sich, weil er ist ein Wicht,
> Jed' Unglück noch erneuern!"

30. Am Rabenstein.

$\mathfrak{T}$halabwärts von Frohnleiten und zwar Pfann=
berg gerade gegenüber thront auf einem sehr

scharf vorspringenden und gegen unten sich etwas ein=
wärts senkenden Felsen das hochinteressante Schloß
Rabenstein, wohin von Frohnleiten ein hübscher Weg
längs der wild rauschenden Mur führt. Im großen
Schloßhofe angekommen, sehen wir uns inmitten
eines ganz gewaltigen, mittelalterlichen Baues, dessen
Besichtigung wir, da er viel Sehenswertes bietet,
nicht versäumen. Nachdem wir zuerst den freund=
lichen Schloßbesitzer um die Erlaubnis zur Besich=
tigung ersucht haben, treten wir in das alter=
thümliche, weite Gebäude in Begleitung eines
Dieners. Bald haben wir den Rittersaal, die
Zierde des Schlosses, erreicht und sind nur Auge
für das, was wir hier wahrnehmen. Ganz nach
altem Stile eingerichtet, enthält er hübsche Stuccatur,
Deckengemälde aus der Geschichte und Mythologie,
alte glänzende Stahlrüstungen und Waffen, welch
letztere während der langen Wintermonate geputzt
und in neuen Stand gesetzt werden. In der Mitte
des Saales steht eine mächtige lange Tafel, behängt
mit rothbraunem Tuche. Zwei riesig große Kannen
stehen darauf, aus denen dereinst der Reben= und
Gerstensaft für die durstigen Rabensteiner Ritter in
die nicht minder großen Pokale gefüllt worden sein
dürfte. Darnach zu schließen müssen die alten Hau=
degen ganz großartiges im Zechen geleistet haben.
Rings um den Tisch stehen breite Stühle ohne
Lehnen, sogenannte „Stöckl,“ welche nur allzu getreu
nach der Mode der ritterlich, mittelalterlichen Zeit

14*

gearbeitet sind. Köstlich ist das vorne am Felsen=
spitz liegende Balkonzimmer, das im Schmucke orien=
talischer Waffen prangt und durch die Fenster einen
wunderbaren Ausblick gewährt. In alten Zeiten
hieng an der Wand über dem jähen Abgrunde ein
Erker, in welchem bei einer Hochzeit die Musiker
spielten. Die Freude war aufs höchste gestiegen,
Ritter und Damen drehten sich im Tanze, allerhand
komische und groteske Sprünge machend, als von
vorne ein schreckliches Gepolter ertönte. Man eilte zu
der Stelle und sah mit Schaudern, daß der über=
hängende Erker mit all den lustigen Fidlern
und Bläsern in den Abgrund der Mur gestürzt sei.

Vor dem Saale liegt die Ahnengalerie, die nicht
bloß die ehemaligen Herrn, sondern auch ihre Ge=
mahlinnen enthält. Man findet unter diesen ritter=
lichen Herren und Damen viele äußerst markante
scharfgeschnittene Gesichter. Die Betrachtung der in
den lebhaftesten Farben gemalten, lebensfrischen
Portraits der alten Burgbesitzer gewährt großes
Interesse. Außen an der südlichen Schloßwand
befinden sich sonnige, luftige Terrassen in reizender
Lage, während unten am Fuße des Berges noch
jetzt der ehemalige Turnierplatz mit der Rüstkammer
in den halbzerfallenen Mauern sichtbar ist. Von
drei Seiten fällt der Schloßfelsen furchtbar steil ab
gegen die Mur. Der Blick von oben ist einzig schön.

Ehemals sah's nicht so friedlich und freundlich
hier aus, als die Raubritter aus dem Geschlechte der

Rabensteiner daselbst hausten, weshalb man die weiter oben stehende Burg den „Räuberstein" nannte, woraus „Raubenstein" und später „Rabenstein" entstand. Die einzige Straße des von reichen Handels= zügen äußerst belebten Murthales führte damals eben auf der Seite des Raubensteins dahin und zwar durch die Burg hindurch. Auf diese Weise konnten also die reichen Kaufherren mit ihren kostbaren Waren hier wie in einer Mausfalle gefangen werden. Wenn die Burg ursprünglich bei dieser festen Stellung wohl auch der Sicherheit der Straße gedient haben mag, wofür die Besitzer einen entsprechenden Zoll einhoben, so schwand diese Bestimmung späterhin aus dem Ge= dächtnisse der Herren Ritter, die wohl fürchterlich hohe Zölle einhoben, aber die Kaufherren nicht schützten, sondern im Gegentheile, nach dem Brauche der Zeit den Stärkeren zeigend, die Durch= reisenden bis aufs Hemd ausraubten. Widersetzten sich aber diese, so mußte man sie eben mit dem Stahle so lange zu kitzeln, bis sie schwiegen, oder man nahm sie fest und setzte sie ins schauerliche Burgverließ, wo sie auch bald verstummten. Und wer weiß, wie viele Opfer von dem steilen Felsen herabgeworfen wurden und in der reißenden dunklen Mur verschwanden!

Die Herrn von Rabenstein*) waren ein altes

---

*) Siehe auch: „Grazer Tagespost" 1877 u. 1882.

Geschlecht, denn sie erschienen, wie Urkunden be=
weisen, schon im Jahre 1171. In Dokumenten aus
diesem Jahre wird ein Werner von Rabenstein ge=
nannt, dem Lantfried gegen Ende des 12. Jahr=
hundertes folgte. Mit Wilhelm von Rabenstein, dem
Landeshauptmann von Krain, erlosch im Jahre 1412
das Geschlecht. Gegen Ausgang dieses Zeitraumes
erhielten die Brüder Leonhard und Diebold von
Harrach die Burg vom Könige Maximilian als Lehen.
Später kamen die Schärfenberger, Windischgrätzer,
Breuner, Trautmannsdorfer und schließlich die
Wagensberger und Dietrichsteiner in deren Besitz.
Nach dem Aussterben der Rabensteiner im 15. Jahr=
hunderte war die Veste unter kaiserlichen Pflegern,
so unter einem Herrn Pappenheim und Weisbriach.
Während die Burg unter dem ersteren Verweser
noch ungemein stark befestigt und als Bollwerk be=
kannt war, brannte sie unter letzterem nieder und
büßte ihre Macht ein. Im 17. Jahrhunderte und
zwar im Anfange desselben entstand der Neubau,
wie er sich jetzt dem Beschauer darstellt. Die alten,
ganz gewaltigen Mauern des prächtigen Schlosses
zeigen dem Neugierigen noch jetzt die Wappen der
früheren Besitzer, nämlich: drei gespornte Füße und
zwei Hirschstangen. Um die Mitte unseres Jahr=
hundertes lag das Schloss ziemlich öde und ver=
lassen da, und die großen, ehemaligen Pracht=
gemächer dienten höstens als prosaische Wirtschafts=

gebäude, in denen sich nur ab und zu etwas Leben zeigte.

Jetzt ist das freilich ganz und gar anders geworden, indem das alterthümliche Bauwerk wieder wohnlich und prächtig eingerichtet und ein Schloss im modernsten Sinne des Wortes geworden ist.

31. Die schöne Prinzessin.

Der Rabenstein mit seinen wilden Raubrittern, mit den vielen schrecklichen Verbrechen, die darin ehe=

mals verübt wurden, und dem heimlichen unterirdischen
bis Pfannberg führenden Gange, durch welchen die
Ritter, wenn's schief gieng, entwischen konnten, war
fürs Volk in früheren Zeiten eine unheimliche Stätte,
an die sich allerhand phantastische Sagen knüpften.
So sollen die bösen Geister die Ritter, als diese
noch in der alten Burg hausten, von da vertrieben
haben, so daß die Feste lange verödet gestan=
den sei.

Eines Tages weidete in der Nähe des zerfallenen
und jetzt kaum mehr als Ruine erkennbaren Ge=
mäuers oberhalb des Schlosses ein Bub seine Herde
auf den saftigen Wiesen am Saume des duftigen
Waldes. Dem Halterbuben, der schon oft in der Nähe
der zerfallenen Ruine gewesen war, fiel es gerade
heute er müßte nicht warum ein, in dem alten sonder=
baren Gemäuer zum Zeitvertreibe herumzusteigen. Da
sah er plötzlich ein Fräulein vor sich, das so zart und
fein anzusehen und so herrlich gekleidet war, daß
es fast nicht von dieser Welt zu sein schien. 'S ist
vielleicht ein Fräulein aus der Stadt, dachte sich der
Halter, der sich vorläufig gar nicht erstaunt zeigte.
Da begann die holde Frauengestalt zu reden.

„Nun merke auf, Hirte, was ich dir zu sagen
habe: morgen früh, wenn die Uhr $\frac{1}{2}4$ geschlagen
haben wird, so stelle dich hier in den Mauern wieder
pünktlich ein und errette mich aus den Krallen der
Feinde, die mich hier gefangen halten" . . .

„Der Feinde?" frug der Bub erstaunt, ihr in

die Rede fallend, „ich feh' ja niemand', der dir,
fchön's Dirndl, 'was zuleid' thät'."

„Die wirft du fchon morgen fehen, Kleiner, jetzt
aber gieb nur fein acht, was ich dir fage. Komme
alfo morgen beftimmt um die Zeit hieher! Es wird
deine Aufgabe fein, dafs du mich von dem Orte,
an welchem du mich fehen wirft, wegführft, ohne
der fchrecklichen Dinge und Thiere zu achten, die du
bemerken wirft," fprach die junge Schöne weiter,
wobei es dem Halterbuben, da das Fräulein mit fo
dringender, zum Herzen gehender Stimme fprach),
gar fonderbar zu Muthe ward.

„Ich will dich retten, arm's Dirndl!" rief er
mitleidig, obwohl er nicht wufste, vor wem er fie
in Sicherheit bringen follte. „Und jetzt fag' mir
doch, wer bift und wie heißt d' denn eigentlich?"
frug er neugierig.

„So hör's denn: ich bin Amalia, eine ver=
wunfchene Prinzeffin des Rabenfteins. Seitdem ich
meine vielen Liebeswerber verfchmäht, die fich wegen
meiner in Eiferfucht quälten und im Zweikampfe
tödteten, bin ich verwünfcht, hier in der Ruine in
Bewachung fchrecklicher Thiere zu fitzen, bis nach
hundert Jahren ein unfchuldiger Knabe kommt und
mich erlöst," fprach die Prinzeffin.

Den Halterbuben durchriefelte es bald kalt und
bald warm, als er hörte, dafs das Wefen eigentlich
nicht von diefer Welt fei. Da hatten alfo die Leute
doch recht gehabt, wenn fie meinten, dafs es hier

nicht geheuer sei. Doch trotz seines Erschreckens faßte er angesichts der lieblichen Mädchengestalt, die so milde und innig bat und so traurig um Hilfe flehte, wieder Muth.

„Nun geh und vergiß nicht, was ich dir gesagt! Und noch etwas beachte sorgsam, sprich mit niemand von der Sache, bis du mich gerettet hast," flehte sie.

„Hab' keine Sorg', schön's Dirndl!" versicherte treuherzig der Halterbub, worauf die Prinzessin verschwand.

Der Halter wußte nicht, wie ihm geschah. Als er sich wieder gesammelt, trieb er so schnell als möglich seine Herde nach Hause, damit sie ihm nicht etwa in der zerfallenen Ruine verzaubert werde und sagte wirklich zu seinen Leuten kein Sterbens= wörtchen über das Erlebte. Am andern Tage konnte er kaum die Zeit erwarten, wo er die Herde aus= treiben sollte. Ohne einen Bissen anzurühren, zog er mit seinen Thieren dem Walde zu und gieng, als die Zeit gekommen war, zur Ruine. Kaum hatte es ½4 Uhr geschlagen, als er auch schon die Prin= zessin in dem Gemäuer, und zwar an derselben Stelle wie gestern erblickte. Doch war sie heute nicht allein, sondern in schrecklicher Begleitung, sie saß nämlich auf drei großen übereinander geschichteten Kästen, die vorn offen waren. Im ersten sah der Halterbub eine riesige Schlange, im zweiten einen Drachen und im dritten glühende Kohle. Sein Entsetzen war kein geringes, solche Ungeheuer hatte er noch nie gesehen.

Zitternd, faſt gelähmt ſtand er vor dem Schrecklichen, bis in ſeine Glieder wieder Kraft und Bewegung kamen.

„Reich mir die Hand und rette mich, lieber Halterbub, die Thiere können dir nichts thun!" bat die Prinzeſſin händeringend, doch der Bub lief, was er laufen konnte über Stock und Stein davon, hinter ſich das Jammern des Burgfräuleins hörend:

„Nun muſs ich wieder ſo lange, lange Zeit auf Erlöſung warten!"

32. Unglückswerber.*)

ie prächtigen Hal=
len des neuauf=
gebauten Rabensteins,
wo so tolles, lustiges
Leben geherrscht, waren still geworden, denn der
Besitzer, der's so gut verstanden, bei Becher= und

---

*) Vergleiche auch: „Das schöne Weib vom Rabenstein"
im „Aufmerksamen" 1830, Graz, Leykam.

Saitenklang nach Jagdgetümmel die Herren der
Nachbarschaft zu vereinen, war auf geharnischtem
Roſſe gerüſtet in den Kampf gezogen, begleitet von
einer ſtattlichen Anzahl Reiſiger. Sein Kaiſer hatte
ihn gerufen, auf daſs er ihm helfe, die in fernen
Landen in Aufſtand gerathenen Bewohner zu züch=
tigen. Nur Frau Hedwig, weit und breit die
ſchönſte und ſittſamſte der Frauen, des ausgezogenen
Ritters treue Gemahlin, war mit nur einigen
wenigen Getreuen auf Rabenſtein zurückgeblieben.
Da kam eines Tags eine ſchreckliche Märe..

„Frau Hedwig, ich hab Euch Uebles zu ver=
künden, doch trau ich mich faſt nicht, die Botſchaft
hier zu melden“, berichtete der Bote, der auf ſchäu=
mendem Roſſe athemlos herangeſprengt war.

„Nur heraus damit, denn Ihr müſst wiſſen,
Hedwig hat ein ſtarkes Herz, das durch Unglück
nicht gebeuget wird“, drängte die Gräfin.

„So vernehmt es alſo: Euer Gatte, der tapf're
Hans, er iſt :..“, ſtockte erſterer.

„Bei Gott, ſagt, was iſt's mit ihm!“

„Er iſt nicht mehr!“ preſste der Bote endlich
heraus.

„Um Gottes Willen! Hans iſt todt, iſt gefallen?
Ach, ich Unglückliche!“ jammerte die Arme.

Dieſer Schickſalsſchlag war ſo ſchwer, daſs er
trotz der Faſſung Hedwigs Herz beugte.

„Gott ſchenk ihm die ewige Ruhe und gib Troſt
mir Armen!“ rief ſie in tiefem Schmerze.

So war mit der Trauer noch größere Einsam=
keit ins Herz der schönen Hedwig eingezogen. Schnell
verging die Zeit und linderte etwas den Schmerz.
Als sie vernahm, dass die wilden Rebellen von
den tapferen Kaiserlichen niedergeworfen seien, empfand
sie darin einige Genugthuung, dass der Fall
ihres Gemahles wenigstens den Sieg im Gefolge
gehabt. Frau Hedwig widmete sich nun mit dop=
pelter Liebe ihren Kindern, die starke Burg kaum
jemals verlassend. Und wenn Gäste erschienen, so
erblickten sie die Gräfin nicht, und der Castellan
musste sehen, wie er mit ihnen fertig werde. Ihr
waren eben die unschuldigen Kinder lieber, als all
die Herren und kecken Ritter, die nur kamen, sie als
Frau zu gewinnen mit all ihrem Geld und Gut.
Oft und oft versuchte man's, doch Hedwig endlich
einmal zu Gesichte zu bekommen, um ihre traute
Stimme zu hören und des Herzens Liebeswünsche
vor ihr ausschütten zu können. Vergebens, Hedwig
blieb vor allen stets verborgen. Das ärgerte so
manchen edlen Sprossen und ritterlichen Gecken gar
gewaltig, doch da ließ sich einmal nichts machen,
denn durch die Mauern und die starken Riegel konnte
man nicht dringen. Viele wetteten, die Schöne für
sich bald zu gewinnen, zogen aber stets mit langer
Nase ab. Da versammelte sich eine Schar gar
übermüthiger Gesellen, von welchen jeder die schöne,
tugendhafte Hedwig gewinnen wollte.

„Was gilt der Preis, wenn mir's gelingt, die Holde zu erobern?" frug Eckehard.

„Du junger Fant, das wird dir nimmermehr gelingen, denn die ist so spröde wie das Eisen", lachte Anselm.

„Ich schwör's bei meinem Barte, daß ich die Spröde noch als Gattin führe heim!" vermaß sich der wilde Kuno.

„Da wirst du vielleicht deine Rüstung ablegen und wie ein Floh durch's Schlüsselloch zu ihr kriechen müssen", höhnte Adelhard, „denn Thür und Thor zu ihr sind fest versperrt".

„Wie man's doch nur anstellen sollte, sie, das holde Weib, zur Ehe zu gewinnen?" frug ungeduldig ein anderer.

„So nimm dir einen Hexenbesen, mache deinen Hokuspokus und fahre durch die Lüfte zu ihrem hohen Fensterlein, ein liebend Liedlein dort ihr girrend", foppte Dagobert.

Ein dröhnendes Gelächter ertönte aus den Kehlen der Ritter.

„Wißt ihr was? Da es so schwierig ist, die Schöne zu erobern, so mach ich euch den Vor= schlag, daß der, dem es gelingt, zum Eheweib sie zu küren, unser Meister werden soll", rieth Erhart.

Stürmischer Beifall folgte. Bald darauf rüstete man sich, um Hedwig zu werben. Man hatte gehört, daß sie die Blumen sehr liebe und sich öfters im Garten aufhalte. Das machte sich der erste, der

zum Schloſſe zur Werbung ſchritt, zunutze. Er
ſchritt hinan als Pilger verkleidet, und wirklich er=
blickte er eine ſchöne Frau, die er für Hedwig hielt.
Die Herrlichkeit des Gartens, in den er kühn ein=
trat, und die Schönheit des Weibes entzückten den
Werber, und ſiehe da, die Frau Hedwig war gar nicht
ſo abweiſend, als er gedacht hätte. Er betheuerte
ihr ſeine Liebe und bat um ihre Hand, wobei er
ſich auf ein Knie niederließ. Ohne ein Wort zu
ſagen, winkte ſie ihm, ſich zu erheben und bedeutete
ihm mit der Hand, mit ihr weiter zu ſchreiten.
Voller Wonne gieng er ihr nach, ihre Hand küſſend.
Da blieb ſie plötzlich am Felſenrande ſtehen, und
er, der Gefahr nicht achtend, trat an ihre Seite,
doch ein Fehltritt, und um den Werber war's ge=
ſchehen, er ſtürzte kopfüber in die Tiefe. Am zweiten
Abende erſchien ein zweiter von jenen Geſellen, am
Arme eine Harfe und von eisgrauem Barte, in
welcher Vermummung er durch ſeinen ſüßen Lieder=
ton und Saitenklang die Gräfin für ſich zu ge=
winnen hoffte. Wieder nahte ſie ſich dem Abgrunde
und der Liebesſuchende fand wie ſein Vorgänger
den Tod. Drauf kam ein armer Bettelmann, an
der Krücke mühſam daherhumpelnd, dem's niemand
anſah, daß er ein Ritter ſei, der eigentlich als
Brautwerber daherkomme und zuerſt die Verhält=
niſſe auskundſchaften wolle. Doch auch er war dem
ſchrecklichen Tode geweiht, Bitterkeit ſtatt ſüßer Liebe
erntend. Ein vierter erſchien am nächſten Abende

15

ganz als Knecht verkleidet, ein noch junger, kräftiger
Mann, dem es bei dem ungewissen Gange, er wußte
nicht warum, nicht wohl um's Herz geworden. Er
sah im Garten Hedwig und trat zu ihr, um ihr
sein liebend Herz auszuschütten. Auch jetzt nahte
sie sich dem Felsenabgrunde, dem Jüngling winkend,
auf daß er hier verderbe. Doch da ertönte —
wunderbare Schickung — des Aveglöckleins trauter
Klang. Der junge Geck, der bei all dem wilden
Waffenleben und den vielen Abenteuern das Beten
nicht vergessen, schlug ein Kreuz und murmelte still
das Ave Maria. Kaum hatte er geendet, war auch
die schöne Frau, er wußte nicht wohin, verschwunden
und statt ihrer gewahrte er einen Mann mit häßlich
finstern Zügen.

„Schon war das Schwert gezückt, das dich in
Felsengrund und zu ew'ger Pein gestoßen hätte,
wenn mich dein Kreuz und dein Gebet nicht abge=
halten", rief der schwarze Geist mit unheimlich
drohender Stimme, worauf er verschwand.

Den Jüngling faßte Grauen und er entwich
mit heiler Haut dem Schreckensorte.

„Gott sei gepriesen", entstieg voll Inbrunst ihm
der Dankesgruß, „daß deine Macht mich vor dem
Untergang erhalten!"

Bald fand man auch die Leichen aller, die von
der Felsenhöhe in die Mur gefallen, nicht weit vom
Rabenstein entfernt, bei Judendorf am Ufer, und
alles war entsetzt darüber.

Noch lange lebte Hedwig einsam und tugendhaft auf der festen Felsenhöhe, und so oft man eine Leiche in den dunklen Stromeswellen fand, so gieng gleich weit und breit die Sage: „Das hat ein Geist auf Rabenstein gethan, der alle Werber hält der schönen Hedwig fern!"

33. Der bestrafte Halter. Der Mann mit dem Rasenziegel.

Von Frohn-
leiten thal-
aufwärts liegt die

sogenannte „Schroat*)=Alm", auf der man, wie
schon der Name sagt, oft jammern und schreien
hörte und zwar stets in der Nacht, ohne daß man
eigentlich wußte, was das zu bedeuten habe. Endlich
war's allen klar geworden, daß da droben ein Geist
umgehen müsse, der während der Nacht diese Klage=
laute hervorstoße.

„Wenn ma nur wüßt', was ma thun sollt', daß
's da ob'n ruhig wird," meinte der Huber Michl
zu seinem Nachbar.

„Ja, weißt, ich mein halt, wir laff'n durch einen,
der a Courage hat, den Geist verbannen," rieth
dieser, der den Namen der blade Franzl führte.

„Die G'schicht dauert mir schon zu lang, und
grad bei meiner Halterbubenhütt' muß der Krawall
in der Nacht immer losgeh'n. D' Leut trau'n sich
gar nimmer aufi", klagte der Michl.

„Da heißt's halt Geduld hab'n, bis wir den
Richtig'n find'n, der die Sach' versteht," redete der
dicke Franzl dem Michl zu.

Und richtig kam eines Tags der Mann, der die
Sache zum gedeihlichen Ende brachte. Es war ein
reisender Handwerksbursche, der abends im Wirts=
hause von der Geschichte hörte.

„Aufgepaßt, Leutl, die Sach' werd ich in die
Hand nehm'n. Hab auf meinen Reis'n schon viel's

---

*) schreiende.

g'seh'n und g'hört und werd' mit Gottes Hilf' auch
den Schreier von der Alm herunterkrieg'n", rief er.

„Wann's dir gelingt, dann kannst bei uns drei
Woch'n ess'n und trink'n, was d' willst", versprachen
ihm die erfreuten Bewohner.

Der Bursche jubelte, denn er hoffte, daß er dem
Küchenmeister Schmalhans für einige Zeit den Lauf=
paß werde geben können. Er machte sich gleich
am nächsten Abende auf den Weg zur Halter=
bubenhütte auf der Schroat=Alm, wobei ihm die
besorgten Leute allerlei Verhaltungsmaßregeln mit=
gaben.

„Habt's nur keine Sorg', Leutl, denn ich kenn'
mich schon aus", beruhigte er sie.

Oben angekommen, begab sich der Bursche in die
Hütte und wachte bis zur kritischen Zeit. Er dachte
über die Geschichte des Halterbuben, die ihm die
Leute erzählt hatten, nach. Derselbe hatte nämlich
einmal aus Uebermuth von der Höhe der Schroat
Alm auf eine Kuh einen Stein niedergelassen und
dadurch dieselbe erschlagen, während er zu Hause
erzählte, der Stein hätte sich selbst losgelöst und die
Kuh getödtet. Dadurch hatte der Besitzer einen
großen Schaden erlitten. Als nun der Halter in
der Hütte starb, fieng's daselbst zu geistern und zu
schreien an. Dies hatte sich der nun in derselben
Hütte wachende Handwerksbursche nochmals über=
dacht. So kam die Geisterstunde, und der Wachende
sah Schreckliches, so daß er vor Angst aus der

Hütte entlief und von Ferne dem Spucke zusah.
Der Bursche sah nämlich, wie mehrere finstere
Männer mit Gewalt einen andern herbeischleppten,
ihn mit Messern furchtbar zerstückelten, wobei der
Gemarterte jammerte und rief:

„Ich bin der Halter, der die Kuh erschlagen.
Wenn mich doch jemand erlösen wollte von der
Strafe, die ich für meinen Muthwillen erleide. Eine
Messe, von meinem Erbtheile gezahlt, würde mich,
wenn auch der Schaden dem Besitzer des verlorenen
Rindes gutgemacht wird, von meiner Pein erretten."

Der Handwerksbursche hatte genug gehört, er
eilte zum Dorfe und erzählte das Gesehene und
Gehörte den Bewohnern des Thales. Als man
dann dem Wunsche des Halters nachkam, soll
wirklich Ruhe eingetreten sein, während der Bursche
sich an der Freikost durch drei Wochen erfreute.

————

Gieng da eines Abends ein etwas Angeheiterter
in die „Gams" bei Frohnleiten. Der Mond schien
silberhell und die Sternlein funkelten, daß es nur
so eine Freude war. Auf einmal sah der nächtliche
Wanderer eine Gestalt auf sich zukommen, die einen
Rasenziegel auf dem Kopfe trug und immer größer
und größer wurde. Dem Angeheiterten ward ganz
bange zu Muthe, und bald war er vor Schrecken
ganz nüchtern geworden. Da stand ihm bereits die
merkwürdige Gestalt gegenüber und faßte ihn,

während er sich am Zaune hielt, von gewaltiger Angst geschüttelt.

„Wo muß ich ihn hinwerfen, wo muß ich ihn hinwerfen den Rasen?" frug der Geist — ein solcher war es offenbar — mit dröhnender Stimme.

Die Frage kam dem Angefallenen, der etwas Schlimmeres erwartet hatte, sehr spaßig vor, und er war nicht faul, zu antworten:

„Wirf ihn hin, wohin du willst!"

Darauf ergriff die Gestalt den Rasenziegel mit beiden Händen und warf ihn weit von sich weg.

„Gott sei Dank, jetzt bin ich von meiner Last befreit, denn wisse, daß ich zur Strafe dafür, daß ich bei meinen Lebzeiten dem Grenznachbarn die Grenzsteine versetzte, nach meinem Tode dieses Rasenstück fort und fort in der Nacht herumschleppen mußte, bis du, dem ich eben diesen Grenzschaden verursachte, mich endlich heute errettet hast. Hab vielen Dank!"

So rief der Geist und verschwand zum Erstaunen des so plötzlich Ernüchterten.

34. Gefundene Grabesruh.
Ein sonderbarer Hase.

In der „Gams" stand in der Nähe des Schmiedes ein Kreuz, bei welchem man in der Nacht oft einen merkwürdig aussehenden Mann graben sah. Neugierig, was denn derselbe

eigentlich wolle, thaten sich einmal mehrere beherzte
Leute zusammen, um der Sache auf die Spur zu
kommen.

„Ich mein', der sucht einen Schatz, den ma da
amal vergrab'n hat", sagte der eine.

„Das glaub' ich nit, er sieht ja nix in der stock=
finstern Nacht, denn Licht hat er ja keins bei sich",
meinte ein anderer.

Bei solchen Gesprächen war man in die Nähe
des Kreuzes gekommen, wo richtig wieder die son=
derbare Gestalt herumgrub.

„Wo soll ich denn hingraben, wo soll ich denn
hingraben?" frug zum Staunen aller der Geheimnis=
volle.

„Grab' halt ein Loch, wo du willst, leg' dich
'nein und mach's dann zu!" rief ein vorwitziger Geselle
dem Grabenden muthwillig zu.

Und wirklich schaufelte letzterer in aller Eile ein
breites Loch in die Erde, kroch hinein und rief die
Worte:

„Ich bin erlöst von meiner Ruhelosigkeit, denn
unbegraben lag ich nach meinem Tode im Walde,
bis ihr mich der Ruhe des Grabes übergabt!"

Alle erschracken darüber und liefen eiligst davon.
Am anderen Tage aber soll man in der Grube
beim Kreuze einen unbekannten Leichnam gefunden
haben, den man dann kirchlich beerdigte, worauf der
Spuck ein Ende hatte.

———

Am Florianitage wollte gerade die Wolkenbruch=
Lisl mit ihren Hausleuten, worunter sich auch ein
Schneider befand, aus dem Hause gehen, um, wie's
hier in der Gams Sitte war, einer Messe beizu=
wohnen, denn auf Sanct Florian, den Schützer vor
Feuer und Noth, hielten die Leute gar viel. Wie
also die kleine Schar aus dem Hause trat, da sauste
ein Hase, von einem Hunde verfolgt, mit Blitzes=
geschwindigkeit an ihnen vorüber gerade in den
offenen Stall hinein. Man lief ihm nach und sah
noch, wie sich Vetter Lampe in die hoch aufgeschichtete
Streu verkroch, seine Haut in Sicherheit bringend,
während die Wolkenbruch=Lisl sehr erschrocken that
und sich in einem fort bekreuzte.

„'s hat was zu bedeut'n, dass der Has grad
jetzt, wo wir in die Mess' geh'n, hereinhupft", meinte
sie beunruhigt.

„Ah was nit gar!" sagte ein anderer, während
der dürre Schneider vorläufig gar nichts sagte, son=
dern nur pfiffig vor sich hinlächelte.

Man schloss den Stall fest zu, in der Meinung,
der Hase könne jetzt nicht mehr entwischen, und
gieng zur Messe. Die Lisl, der ihr Mann unlängst
gestorben war und die bei seinem Tode, da sie mit
ihm nicht gut ausgekommen, im Stillen die Worte
ausgerufen: „Gott sei Dank, dass ich ihn los bin!"
musste während der Messe fortwährend an ihn
denken. Ueber letzteres erzählte sie nun am Heim=
wege ihren Leuten und brachte auch wieder das

Gespräch auf das merkwürdige Zusammentreffen
mit dem Hasen.

„Wißt's auch, Wolkenbruch=Lisl, was ich glaub?“
frug der Schneider, sehr geheimnisvoll thuend.

„Na, was wär's denn B'sonder's? So sag's
doch!“ drängte die Lisl.

„'s hat noch später Zeit!“ meinte er, indem er
absichtlich die Neugierde anspannen wollte.

„'s wird nit viel G'scheidtes sein“, meinte der
eine geringschätzig.

„Wir möchten's aber doch gern wiss'n!“ thaten
die anderen neugierig.

Der Schneider sagte aber noch nichts, und so
war man wieder zu Hause angekommen, wo der
erste Gang dem Stalle galt, um den eingesperrten
Hasen zu fangen. Der eine legte Lodenjoppe und
Weste ab und durchstöberte den Stall, sowie den
Streuhaufen, in den sich der Hase verkrochen, wäh=
rend die anderen darauf lauerten, Vetter Lampe
zu fangen. Vergebens, der Hase war und blieb
verschwunden, so daß die Leute staunten, wie er
denn habe entlaufen können.

„Was glaubt's also, was ich mein'?“ frug aber=
mals der geheimthuende Schneider.

„So sag's endlich amal!“ drängte die Lisl
ungeduldig.

„Ich glaub' halt, der Has der aus dem zu=
g'spirrt'n Stalle so merkwürdig verschwunden is,
is nix anders, als a Deuter von Euerm verstorb'nen

Mann, für den Ihr eine Meß' sollt lesen laff'n, daß
er in sein Grab a Ruh hat," sprach der Schneider
feierlich.

„Wär's möglich!" rief die Lisl beängstigt.

„Ich sag's Euch, 's ist so!" behauptete mit ernster
Miene der Schneider.

Die Lisl, welche auf Anzeichen etwas hielt und
der die Sache mit dem Hasen wirklich nicht recht
vorkam, ließ, um vor ihrem Manne ein für allemal
Ruhe zu haben, in der That eine Messe lesen. Dem
pfiffigen Schneider aber war's durch List gelungen,
das zustande zu bringen, was die Abneigung der
Lisl gegen ihren Mann und der Geiz früher nicht
zugelassen.

35. Der geschlichtete Erbstreit.

Kurz darauf gieng der obige pfiffige Schneider an einen andern Ort und zwar in den Hennrichhof auf die Stöhr, um da den Leuten aller= hand Kleidungsstücke anzu= fertigen. Der Schneider fand aber hier große

Uneinigkeit, das eine zankte mit dem anderen, denn jede Person wollte just das beste Stück nach der ohne Testament verstorbenen Großmutter haben.

„Das woll'ne Tuch g'hört mir und die neuen Schuh' auch, die Großmutter hat s' mir am Sterbe= bette versprochen", schrie die Resi.

„Und ich nehm' mir die silberne Uhr und die gelben Schnallen", meinte der Toni.

„Das leid' ich nit, daß der Toni das Schönste und Beste kriegt, ich will auch 'was davon haben", stritt dagegen der Sepp.

Kurz, es war keine Einigkeit zu erzielen, und jeden Tag gab's Stänkereien und Schimpfereien, weil justament der eine das verlangte, was dem andern recht war.

„Leutl, ich bitt euch, streit's euch nit, sondern theilt's euch lieber friedlich in den Nachlaß", suchte der Schneider zu schlichten, ohne daß man auf ihn achtete.

„Die Gas soll lieber nah'n und 's Maul halten, 's geht sie die Sach' nix an", brummte man den Wohl= meinenden an, der sich aber zu rächen beschloß und zeigen wollte, daß er alle noch in den Sack stecken werde.

„Da hast auch was von der Erbschaft, vielleicht kannst's noch brauchen."

Damit reichte man dem Schneider ein kleines Papierpäckchen, dessen Inhalt den Leuten ganz nutzlos schien. Der so Beschenkte öffnete dasselbe und fand darin Kampfer.

„Werd' ihn schon brauch'n und euch noch a
Lichtl anzünden, daſs 's alle noch amal g'ſcheidt
werd's", rief er, über das Geſchenk beleidigt, den
Leuten zu.

Man lachte über den g'ſpaſſigen Schneider und
dachte an nichts weiter. Da kam der Abend, und
man ſetzte ſich, da es ſehr mild war, vor's Haus
ins Freie. Die Stunden vergiengen. Da erblickte
man drüben in der Nähe des Kreuzes merkwürdige
Flammen aufzüngeln, die immer größer und größer
wurden und unheimlich anzuſehen waren. Alle
waren erſtaunt über die Erſcheinung und näherten
ſich dem Kreuze, um die Sache zu unterſuchen.
Doch plötzlich erloſchen die Flammen ebenſo ſchnell,
wie ſie entſtanden waren, und man fand, als man
herzugetreten, von einem Brande keine Spur. Da
trat der Schneider, den man früher nicht geſehen,
zu den Leuten hinzu.

„Da geht's nit mit recht'n Dingen zu!" meinten
dieſe.

„Mir ſcheint auch!" ſtimmte der Schneider bei.

Am zweiten und dritten Abende beobachtete man
dieſelbe Erſcheinung, und das dauerte ſo durch acht
Tage hindurch. Das ward den Leuten zu arg.

„'s thut onaweigeln!" flüſterten ſie, ſich be=
kreuzend.

„Ich wüſst wohl, was das Ding zu bedeut'n
hat", meinte der Schneider, der bei dem geheimnis=
vollen Feuer immer ſpöttiſch gelächelt hatte.

„Um Gott's Willen, was ist's denn also?" frugen
die Erschreckten, die sich in der Nacht gar nimmer
hinaustrauten, sondern bei verschlossenen Läden in
der Stube hocken blieben und nach dem Schlafen=
gehen die Decke bis über die Ohren hinaufzogen.

„Ich glaub halt, das deut' g'wiss auf die ver=
storbene Großmutter, die jetzt weg'n des Streit's
in der Ewigkeit leiden muss," rief der Schneider in
überlegenem Tone und mit der Miene eines Weisen.

Darüber war man nicht wenig erschrocken und
zankte sich späterhin aus Angst vor dem Gehörten
nicht mehr um die Verlassenschaft. Aber auch das Feuer
beim Kreuze war von der Zeit an nicht mehr zu
sehen, und der pfiffige Schneider lachte verstohlen,
dass es ihm durch Anzünden des Kampfers gelungen
war, den ihm so lästigen Hader zu verbannen.

16

36. Das Lurloch.

Nicht bloß das anziehende Volksleben, die
Burgen und Landschaften, sondern auch die
mannigfachen Naturmerkwürdigkeiten der schönen

grünen Steiermark erwecken das Interesse des be=
obachtenden Fremden in hohem Grade. Letzteres gilt
namentlich von dem immer noch zu wenig besuchten
Schöckelgebiet, das durch reißende Bäche auf weite
Strecken ausgehöhlt ist, weshalb man hier eine
Reihe zum Theil noch unerforschter Tropfstein=
höhlen findet, von welchen an dieser Stelle nur
das sogenannte „Wildemannloch" bei Peggau und
das berühmte „Lurloch" bei Semriach genannt werden
sollen.

Es war an einem heißen Sommertage, als wir von
Peggau aus zum Lurloch aufbrachen. Im Schatten
von duftenden Kiefern und Tannen gieng's bergan.
Links unten erblickten wir auf einer Felsenhöhe die
ungemein malerische Ruine von Peggau, in und
auf deren zerfallenem Gemäuer Bäume und Sträucher
wuchern. Der Zahn der Zeit hat dem ehemals festen
Baue hart zugesetzt, der ein Bild zerfallener Macht
des alten, kraftbewußten Ritterthums bietet. In
vollen Zügen den würzigen Harzduft athmend, gieng's
vorwärts, als von der Ferne das Krachen des
Donners ertönte. Doch das drohende Unwetter hielt
unseren Weg nicht auf. Steil hieß es dann über
die sogenannte „Taschen" hinansteigen, worauf wir,
auf der Höhe angelangt, einen lieblichen Rundblick
über Berg und Thal, Auen und Ortschaften hatten.
Nach längerer Wanderung waren wir in Semriach
angelangt, in dessen Nähe das berühmte Lurloch
liegt. Das Unwetter war inzwischen mit furchtbarer

16*

Gewalt losgebrochen. Wir fanden gute Herberge.
Schlafend und träumend von den Abends zuvor
mitgetheilten Schrecken, die man bei Eröffnung des
Lurloches ausgestanden, wollten wir bis in den Tag
hineinschnarchen, denn wir waren von den vorher=
gegangenen Wanderungen etwas müde. Doch wir
wurden aus Morpheus' Gewalt ziemlich ungestüm
gerissen, denn draußen klopfte und rief es. Wir
krochen also, wenn auch etwas mürrisch, aus den
Federn und rieben uns den Schlaf aus den Augen.
Nach dem Kirchenbesuche giengs Nachmittag, als sich
das Wetter gebessert, ins Lurloch, ins vielberühmte
und vielbeschriebene.

In den Tagen vom 28. April bis zum 7. Mai
im Jahre 1894 gieng's hier, wie mir ein Augen=
zeuge erzählte, nicht so still und friedlich zu, als
heutzutage. Am ersteren Tage waren nämlich die
sogenannten „Höhlenforscher" aus Graz ins Lurloch
gestiegen, um es näher zu ergründen. Zuvor hatte
es aber lange derart geregnet, daß den eingestiegenen
„Forschern" der niedrige Eingang durch das ange=
schwollene Wasser verstopft wurde und daß sie sich
genöthigt sahen, sich in vom Eingange aus höher gele=
gene Höhlenpartien zu flüchten. Die Aufregung der
Eingeschlossenen stieg mit dem Wasser, Lebensmittel
waren zwar vorhanden, aber nicht für so lange Zeit
vorgesehen, als der Höhlenaufenthalt dauern sollte.
Düster flackerten die Kerzen, dumpf war die Luft
in der grausigen Höhle, schwarze Abgründe von

schrecklicher Tiefe gähnten in der Nähe, und der
angeschwollene Lurbach durchdonnerte brausend sein
Bett. Unter Schrecken vergieng ein Tag und so die
andern, ohne dass das Wasser gefallen wäre und den
Eingang passierbar gemacht hätte.

Bald ward es bekannt, dass in der versperrten
Höhle Menschen säßen, und so sammelte sich schnell
eine Maße von Neugierigen vor dem Eingange.
Man konnte sich die Lage der Eingeschlossenen nur
zu gut vorstellen, und es machte sich deshalb bald
das größte Mitleid und das Streben, sie zu befreien,
geltend. Der Herr Pfarrer von Semriach kam auf
den guten Gedanken, in ein Kistchen Lebensmittel
zu verschließen und sie durch den Bach hineinzu=
schicken. Und wirklich entdeckten die Eingesperrten,
die ja das Wasser genau beobachteten, beim Kerzen=
scheine die merkwürdige Sendung und waren da=
rüber nicht wenig erfreut, wussten sie doch nun,
dass man von außen her für sie in Action trete.
Unterdes strömten, durch das Gerede angelockt, immer
mehr Neugierige herbei, so dass das enge Thal vor
der Höhle, sowie die Berglehnen wie ein Theater
bald besetzt waren. Nun wandte man sich an die
politische Behörde, die alsbald Militär herbeisandte,
welches einen Cordon zog, damit die Rettungs=
arbeiten nicht gestört würden. Auch eine Abtheilung
Pionniere erschien unter dem Commando eines Oberst=
lieutenants und begann sofort mit den nöthigen
Vorkehrungen. Sogar die bekannte Firma Siemens

und Halske etablierte sich hier, um an Drähten
durch das angestaute Wasser Glühlichter in die
fürchterliche Höhle hineinzulassen und den Gefan=
genen wenigstens genügend Licht zu verschaffen. Doch
gelang der Versuch nicht. Bei der Masse von Men=
schen und dem Gedränge mußte auch die Sanität
kommen, wie denn auch nicht minder der Chef der
Wiener Rettungsgesellschaft mit einigen seiner Leute
am Platze war. Natürlich war zur Aufrechterhal=
tung der Ruhe und Ordnung auch viel Gendarmerie
aufgeboten worden, sowie denn auch Bergleute mit
einem Beamten herbeigeholt wurden, um zu helfen,
wo zu helfen sei.

Je mehr die Zeit vorschritt, desto bekannter wurde
die Sache in aller Welt und lockte immer noch mehr
Menschen herbei: Techniker und Gelehrte, Höhlen=
forscher und Beamte, Mitleidige und Spötter, Rath=
geber und Kritiker, Journalisten und Corresponden=
ten, letztere theils urgermanische, theils romanische
und theils auch knoblauchduftende. Semriachs ganze
Umgebung war auf den Beinen, die meisten Orte
Steiermarks, alle Provinzen Oesterreichs und aus=
ländische Reiche waren hier vertreten, und alles
wartete mit Spannung der kommenden Dinge.
Steiermarks Journale und Bewohner wußten von
nichts anderem zu reden, als vom Lurloch. Um die
Hungrigen zu befriedigen, entstanden ringsum Buden,
die Lebensmittel, Erfrischungen und Spirituosen
feilboten, ferner wurden Bivouake fürs Militär und

die technischen Arbeiter errichtet, kurz eine förmliche
Ansiedlung entstand. Dabei wurden Felder nieder=
gestampft, Beschädigte erschienen jammernd und
klagend, und donnernd krachte es bei den Sprengungs=
arbeiten, so daß die Verwüstung und Aufregung
in einem Kriege nicht schlimmer hätte sein können.
Um der Bedrängnis bezüglich leiblicher Bedürfnisse
abzuhelfen, schickten wohlhabende Grazer ganze Wägen
mit Proviant ,und besonders der Herr v. Reining=
haus that sich hervor.

Das verderbenbringende Wasser aufzuhalten, er=
richtete man unweit von Semriach Dämme, wobei
man von dem Gedanken geleitet war, daß, — während
sich das Wasser in den einzelnen Dämmen fülle und
somit für einige Zeit vom Höhleneingange abge=
schnitten werde, — man eiligst ins Lurloch ein=
dringe, um die Gefangenen herauszubringen. Doch
wurde damit kein Erfolg erzielt, weil einerseits die
Terrainschwierigkeiten und andererseits die Menge
und Kraft des dahinschießenden Wassers diese Action
unmöglich machten. So ward auch das Telephon
überflüssig, das man vom ersten Damme über die
andern hinweg bis zur Höhle deshalb etabliert hatte,
um die Retter, wenn sie, nach Absperrung des
Wassers durch eben diese Dämme, in die Höhle
gedrungen wären, beim Uebertreten des Wassers
sofort zu alarmieren und zum schleunigen Verlassen
des Lurloches zu bewegen. Auch erschienen einige von
Triest telegraphisch berufene Taucher, um ihre Kunst

zu verfuchen und unter dem Waffer ins Lurloch
zu dringen. Man verfprach fich davon einen ent=
fchiedenen Erfolg. Doch fo energifch auch diefe
Männer tauchten und fich ernftliche Mühe gaben,
ins Lurloch konnten fie nicht. Immer krochen fie
wieder zurück mit dem Bemerken, es fei unmöglich,
hineinzukommen. Man mufste ihnen die vierhundert
vereinbarten Gulden blank auszahlen, und die ita=
lienifchen Taucher lachten fich ins Fäuftchen, dafs
die Paar Tage am Lurloch für fie ebenfo viele fette
Tage geworden. Sie legten ihre Apparate ab, zogen
ihre Rüftungen aus und dampften unverrichteter
Sache vergnügt nach dem Süden.

Die Rettung brachten endlich die Sprengungen,
welche die Bergleute vornahmen und die im Innern
von den erfreuten Gefangenen gehört und zu ihren
Gunften gedeutet wurden. Anfangs war man über
die Richtung des einzutreibenden Stollens uneins,
bis der Herr Pfarrer von Semriach, deffen Local=
kenntniffen man vertraute, die richtige Direction
angab. Beim Krachen der Sprengungen mufsten fich
die Eingefchloffenen wieder weiter zurückziehen, und
es war ein Glück zu nennen, dafs fie die in dem
Kiftchen hineingefchickten Kerzen erhalten hatten.

So war der 7. Mai gekommen, und die Spren=
gungen erdröhnten, ein ganz gewaltiges Echo innen
und außen weckend. Die Aufregung der taufend=
köpfigen Menge, welche der Cordon mit Noth zurück=
hielt, war aufs höchfte geftiegen, erwartete man doch,

in den nächsten Augenblicken die Eingeschlossenen zu
sehen. Waren sie bereits todt, dem Hunger zum
Opfer gefallen, oder lebten sie noch, unter den
Schrecken der Höhle zu Skeletten abgemagert und zu
Jammergestalten zusammengefallen? Diese Fragen
schwebten auf aller Lippen, und die meisten fürchteten
das erstere. Die Sanität, sowie eine Abtheilung des
rothen Kreuzes stand mit Lebensmitteln, Spirituosen
und anderen Sachen bereit, um die Gefangenen des
Lurloches, falls sie noch lebten, in ihre Pflege zu
nehmen. Das Ende des Stollens war durchschritten,
jetzt nahte die Entscheidung.

„Lebt ihr noch?" rief man mit erregter Stimme
durch die Oeffnung hinein.

„Ja!" erscholl's zurück zum Staunen und zur
Freude der opfermüthigen Retter.

Man kroch eilends durch die Oeffnung in die
Höhle, welche unter dem Lichte der Retter erstrahlte
und fand wirklich noch alle am Leben. Die Freude
der Geretteten, an der Spitze stand Herr Fasching
aus Graz, — war eine große, als sie wieder das
wonnige Licht des Tages erblickten und die würzige
Tannenluft des Thales einsogen. Die Meinung der
Leute, Jammergestalten vor sich zu erblicken, war
hinfällig geworden, denn die Eingeschlossenen waren,
wenn auch durch die Beängstigung und die bereits
sich geltend machende Entbehrung in Speise und
Trank ermattet und bleich, doch in viel leidlicherem

Zustande, als man geglaubt hatte. Nur einer soll sehr angegriffen gewesen sein.

So war also die große Rettungsaction voll= bracht, eine Action, die nicht bloß ein ganzes Land, sondern sogar ein Reich und zum Theil auch das Ausland in Bewegung gesetzt hatte. Die Ver= heerungen, welche durch die Rettungsarbeiten ange= richtet worden, waren, als man den großen Schau= platz übersah, nicht so unbedeutend. Es mußten nun ziemlich hohe Entschädigungen an die Betroffenen ausbezahlt werden, worunter besonders die Besitzer jener Gründe waren, auf denen man Dämme er= richtet, und jene Besitzer, welche durch die Wasser= stauungen an den Häusern Schaden erlitten hatten. Das Jammern derselben und das Protestieren gegen die Dammerrichtungen waren damit verstummt. Aber auch viele Eigenthümer niedergestampfter Felder und Wiesen meldeten sich aus der Umgebung des Lurloches wegen Schadenersatz, der in der That keinem Betroffenen vorenthalten wurde.

Die Wirte von Semriach hatten in dieser Sturm= und Drangperiode eine wahrhaft entsetzliche Küchen= pein durchzumachen. Tag und Nacht hindurch dauerte der Fremdenrummel, in den Küchen riß man den Köchinnen die kaum halbfertigen Speisen aus den Händen, viele konnten gar nichts bekommen und boten große Summen für etwas Genießbares, wäh= rend sich die Gescheiteren Lebensmittel mitbrachten, um während ihrer Anwesenheit beim Lurloch nicht

zu verhungern. Da es auch unmöglich war, alle
Fremden in Semriach einzuquartieren, so schliefen
gar viele im Freien in ihren Wägen, in denen sie
gekommen waren, um von den steilen Bergwänden
zu beiden Seiten der Höhle wie in einem Theater
die Vorgänge zu beobachten und die Aufregung mit=
zumachen. Nach vollbrachter Rettung umdrängten
erst recht die Correspondenten vieler Zeitungen die
Augenzeugen, um die Wahrheit über die Geschehnisse
zu erfahren, und Boten und Telegramme flogen hin
und her und brachten die Neuigkeiten mit Blitzes=
geschwindigkeit in alle Welt. Der Herr Pfarrer von
Semriach, der an dem Rettungswerke so hervor=
ragenden Antheil genommen, erzählte mir, daß be=
sonders er von neugierigen Journalisten bestürmt
worden sei, Auskunft zu geben. Von eben diesem
Herrn Pfarrer stammt auch eine Geschichte und
Beschreibung des Lurloches.

Die Kosten der ganzen Action sollen ziemlich
bedeutende gewesen sein. Die Grotte aber wurde,
damit nicht etwa wieder jemand verunglücke, durch
die politische Behörde amtlich gesperrt und erst
später wieder auf wiederholtes Drängen und viel=
fache Bemühungen seitens einflußreicher Persön=
lichkeiten geöffnet. Man hatte unterdes Gelder ge=
sammelt und machte die Höhle alsbald dem allgemeinen
Besuche zugänglich. Schon vor dieser Eröffnung
waren, durch die Zeitungen angelockt, ganze Völker=
wanderungen hiehergeströmt, so an Christihimmel=

fahrt 20.000) Menschen, alle Gastwirte in Ver=
zweiflung stürzend. Auch hatte sich eine internationale
Gesellschaft aus Wien gemeldet mit dem großmüthigen
Angebot, das Lurloch passierbar zu machen. Man
wies aber das Angebot der fremden Speculanten
ab und behielt mit Recht das Unternehmen und den
Gewinn für heimische Zwecke.

Wir steigen nun endlich ins Lurloch hinein. Ein
hübsches, grünes Thal, welches ein hoher Felsriegel
plötzlich absperrt, führt uns dahin. Vor diesem Fels=
riegel, den der Lurbach durchfliesst und durch den
wir eben die Höhle betreten, sind mehrere Bretter=
buden aufgestellt. Wir lösen Billete, kaufen uns
eine Erfrischung und schließen uns der sich ange=
sammelten Gesellschaft an. Zunächst geht's in die
Vorhöhle und in den Schlurf, worauf wir in den
Kamin und in die Höhle der Eingeschlossenen gelangen,
wo die Gefangenen vom 28. April bis zum 7. Mai sich
aufhielten. Schon begegnen wir einzelnen schönen
Tropfsteingebilden, die nach ihrer Form verschiedene
Namen führen, so erblicken wir die Rosenknospe
und ein wunderliebes Krippl mit der Madonna von
täuschender Aehnlichkeit. Weiter ist der goldene Vor=
hang oder Draperie d'or, die Flimmermauer, ein
altdeutscher Kachelofen und das Palmenhaus zu
erwähnen, in welch letzterem man förmlich die
schlanken Bäume der Wüste zu sehen vermeint.

Ferner fallen uns die Traube, die Orgel und der
Wasserfall auf, prächtige weiße Tropffteingebilde,
die ihre Namen wohl verdienen. In der Bären=
grotte fand man die Skelette von 7 Höhlenbären,
wozu dann noch weitere 30 aus anderen Grotten=
partieen kamen. Weiters sehen wir die sogenannte
Quaste und die Schleierwand. Nun geht's in die
Brüdergrotte, wo sich zwei menschenähnliche Gestalten
die Hände reichen. Ferner ist der Osterleuchter und
der Baldachin zu erwähnen, der prächtige Formen
aufweist. Einsam und verlassen steht auf einem Fels
der Berggeist. Nun sind wir bereits im großen
Dome angelangt, einer großartigen Höhle. Sie
mißt nicht weniger als 112 m in der Länge, 30 m
in der Höhe und 80 m in der Breite. Wir staunen
darauf die Regimentsfahne an, das schönste Flach=
gebilde der Grotte, das, bengalisch beleuchtet, von
höchst überraschender Naturtreue ist. Wunderhübsch
ist auch die Wandfontaine, aus deren Gebilden man
förmlich das Wasser sprudeln sieht. Es folgt nun
die schöne= oder Familiengrotte, wo allerhand Kar=
fiol=, Pilz= und andere Gebilde unser Auge er=
freuen. Interessant ist der Anblick der Glocke und
das Einsiedlerplateau mit dem großen Einsiedler.
Wir gelangen sodann in den Tartarus, in eine
schauerlich wilde Partie mit furchtbaren Klüften
und großen Felsstücken, in eine Höhle von unheim=
licher Düsterheit. Hier thront die Ritterburg auf
einer Felsenhöhe, hier ragt der Erker von einer

Wand hinaus und hier steht der Heuschober. Schließ=
lich folgen die Klamm und der Tropfsteintrichter
als letzte Partieen. Vor dem Ende der Höhlen thront
hoch oben das Belvedere in lieblicher Pracht im
graden Gegensatze zur finstern Wildheit des Tar=
tarus. Steil, sehr steil steigt man auf einer Stiege
hinan wie auf einer Himmelsleiter, worauf sich
einem die ganze Herrlichkeit und Lieblichkeit einer
Tropfsteingrotte entfaltet. Vorne steht man wie vor
einem Geländer, in die grausige, zerrissene Tiefe
des Kurloches hinabblickend. Gewunden wie durch
eine Ohrmuschel führt der Weg vom Belvedere nur
eine ganz kurze Strecke vorwärts. Sehr deutlich
sieht man zunächst einen Elephantenkopf mit Rüssel,
Ohren und Stoßzähnen aus den Tropfsteinen her=
aus. In der Riesenhalle, einer hochinteressanten
Grotte, angelangt, sieht man den Riesen, einen
Tropfstein von 9 m Umfang und 13 m Länge von
der schiefen Decke frei herabhängen. Er soll der
größte unter allen seinesgleichen sein (soweit
nämlich die Entdeckungen reichen) und macht einen
gewaltigen Eindruck. Das Ende der Riesenhalle
bildet der Tropfsteinwasserfall. Bei der Entdeckung
des Belvedere fand man einen köstlichen Tropfstein=
becher, in dessen Innerem hellglänzende Calcit=
Kristalle gelagert waren. Nun steigen wir wieder
langsamen Schrittes hinunter in die schauerliche
Wildnis des Tartarus. Unten im Angesichte des
Belvedere angelangt, wird dasselbe bengalisch be=

leuchtet und erstrahlt wie ein liebliches Himmels=
zelt in schimmernder Pracht hoch über uns. Langsam
wallen wir zurück aus dem Lurloch, nochmals die
merkwürdigen Gebilde, die phantastischen Stalagmiten
und Stalaktiten bewundernd und große Eindrücke
mit uns nehmend. Bald aufwärts, bald abwärts
und bald geradeaus steigend, gelangen wir so ans
frohe, herrliche Tageslicht und hören wieder das
stille, sanfte Rauschen des Lurbaches, eines zahm
dahinfließenden Wässerchens, dem man's gar nicht
ansehen möchte, was für Verheerungen es dereinst
angerichtet.

Das Lurloch mit seinen geheimnisvollen Höhlen
lebt auch im Aberglauben des Volkes, welches dort=
hin das Walten unsichtbarer Geister versetzt. So
gieng eines Tages einer Bäuerin die beste Henne
durch, worüber erstere sehr betrübt war.

„Ach, das brave Viecherl, wer weiß, was ihm
g'scheh'n ist!" klagte sie, da ihr die Henne ordnungs=
mäßig im Sommer täglich ein schönes Ei legte und
ihr daher sehr theuer war.

Die Verlorene suchend, gieng sie überall herum
und kam dabei auch ins nahe Lurloch, wohin sich
die Henne ja am Ende verirrt haben konnte. Und
richtig hörte sie da die Henne ängstlich gackern.
Im Zwielichte der Höhle, in welche sie noch nicht
weit eingedrungen war, erkannte sie nach einiger
Zeit wirklich die Henne als die ihrige und sah in

deren Nähe einige weiße kleine Gegenstände, welche nichts anderes als Eier waren. Sie staunte nicht wenig über das Sonderbare, daß ihre Henne in einem Tage mehrere Eier gelegt und schrieb dies niemand anderem als dem Lurlochgeist zu.

37. Der Schatz am Schöckl.*)

Vor langen Zeiten gieng eines Tages ein Bäuerlein am Schöcklkreuz vorüber. Es machte ein gar betrübtes Gesicht, denn Kummer und Sorge bedrückte sein Herz.

*) Theils nach Erzählungen eines Wirtes, theils nach den „Stubenberg'schen Memorabilien" im Grazer Archive.

17

Nachdem es vor dem Kreuze den Hut gezogen, kam
es weiterschreitend zu einem Gebüsche, aus dem
ihm plötzlich ein kleines, graues Männlein entgegen=
schritt, wie der Bauer ein solches in seinem Leben
noch nicht gesehen.

„Wohin des Wegs, Alter?" frug der Zwerg.

„Nach Graz!" antwortete der Bauer, den Kleinen
erstaunt angaffend. „Doch wer bist denn du eigent=
lich, kleines Männlein? Hab mein Lebtag kein solch
Zwerglein gesehen," rief er nach einer Weile.

„Ich bin ein Mann der Berge, der Schöckl ist
meine Heimat," antwortete der Gefragte.

„Der Schöckl? Da weiß ich kein Haus, meiner
Treu, da mußt du höchstens in einer Höhle wohnen,"
meinte der Bauer neugierig.

„Laß das Fragen, Alter, und sag' mir lieber,
was du in Graz machst?"

„Soll die leidige Steuer zahlen, weiß aber nicht,
woher. 'S geht mir schlecht und hab kein Geld."

„Hast also viel Sorge, wie ich dir's gleich vom
Gesichte gelesen?" frug der Zwerg.

„'S ist schon richtig. Bin überall herumgerannt
und hab mir Geld woll'n ausleih'n, aber nirgends
eins kriegt."

„Dir soll geholfen werden, Armer!"

Der Bauer machte große Augen. Was, das kleine,
armselige Männlein sollte ihm helfen? Das hielt er
nicht für möglich.

„Komm mit mir!" befahl der Zwerg.

Neugierig gieng der Bauer mit dem Kleinen zum Kreuze zurück.

„Nun höre und handle! Du wirst gleich viel Geld haben, nimm's und verwende es gut!"

Der Bauer riß den Mund vor Staunen auf und schaute den Zwerg groß an.

„Hab keine Angst, sondern geh nur beherzt mit mir, denn 's wird dir kein Leids geschehen!" rief ihm der Merkwürdige zu.

Man war zu einer Hollerstaude gekommen, hinter welcher man eine große Thür sah. Neben ihr hingen zwei Schlüssl.

„Nimm die Schlüssel, Mann, und sperr auf!" befahl der Zwerg.

Der Bauer sperrte auf und man trat in einen schön gewölbten großen Saal, in dem man nichts als zwei große Kohlenhaufen fand. Beim Weiter= schreiten sah der Bauer in einem zweiten, kleineren Gewölbe ebenfalls zwei Kohlenhaufen, und als man endlich im dritten Saale angelangt war, der dem vorhergehenden gleich sah, erblickte der Schützling des Zwerges sieben große Truhen, auf deren mittlerer ein großer schwarzer Hund lag. In das mittlere Gewölbe zurückschreitend, nahm der Zwerg wieder das Wort:

„Hast du wohl so etwas schon gesehen?"

„In meinem Leben nicht!" antwortete der Bauer.

„So greif' zu und schiebe von den Kohlen zwei Hand voll in deinen Sack!" mahnte der Zwerg.

17*

Der Bauer that's, und man gieng hinaus, wie man gekommen.

„Nun sieh einmal nach, was du eigentlich in deinen Sack gethan!" befahl der Zwerg wieder, dessen früher sanfte Augen jetzt ganz feurig anzusehen waren, so dass sich sein Begleiter fürchtete und dem Befehle gleich nachkam.

Wie erstaunte nun der Bauer, als er seine herausgenommenen Kohlen zu lauter glänzendem Golde verwandelt sah.

„So lange du lebst, nimm alle Tage zwei handvoll Kohlen von dem mittleren Gewölbe, doch von keinem anderen. Sieh aber zu, dass du's niemand sagst, widrigens weder du selbst noch ein anderer etwas von dem Schatze bekommen könnte, außer denn einer vom Geschlechte der Stubenberge. Solltest du's aber doch jemand verrathen, so musst du die Schlüssel mit dem daranhängenden Pergamentzettel, der gothische Buchstaben trägt, deiner Obrigkeit übergeben!" sprach der Kleine mit feierlicher Stimme, worauf er vor den Augen seines Begleiters verschwand.

Man kann sich des letzteren Verwunderung, in die sich auch einige Angst mischte, vorstellen. Als er sich überzeugt hatte, dass er nicht träume, sondern wache, lief er, sich die Stelle genau merkend und im Besitze der Schlüssel, jubelnd über den plötzlichen Reichthum nach Hause, das gleißende Gold verbergend. Nun war's ihm leicht, die Steuern zu zahlen.

Achtzehn volle Monate holte sich der Bauer, der Gresgruber geheißen haben soll, von dem Schatze hinter der Hollerstaude, kaufte sich Weingärten, Häuser und andere Güter um viele Tausende von Gulden, so daß sich die Leute höchlichst verwun= derten und meinten, es gehe da nicht mit rechten Dingen zu.

Eines Tags kam der reich gewordene Gresgruber wieder nach Graz, wo er beim Amtmann der Steuer wegen erschien. Das Gerücht von seinem fabelhaften Reichtum war auch hieher gedrungen, wo man sich darüber höchlichst verwunderte, da man nicht wußte, woher denn der früher so Arme das viele Geld plötzlich herhabe?

„Sag, Gresgruber, woher hast du das viele Gold auf einmal bekommen?" frug der Amtmann.

„Ich hab's gefunden, meiner Treu!" war des Bäuerleins treuherzige Antwort.

„Oder gestohlen!" fügte hämisch der erstere hinzu.

„Bei Gott, ich hab das Geld redlich erworben, ein Unbekannter hat mir's gegeben!" beteuerte der Beschuldigte beleidigten Tones.

Der Amtmann lachte hell auf.

„Ein Unbekannter? Aha, solche saubere Vögel kennen wir schon, die sich damit ausreden," rief er höhnisch. „Gesteh, Bauer, woher das Gold ist, oder die Folter wird dich reden machen!" drohte der Richter.

Das Bäuerlein erbleichte, wußte es doch, daß man hier nicht zu spaßen pflege.

„So war ein Gott ist, ich hab die Wahrheit g'sagt, mehr darf ich nicht reden," rief Gresgruber beängstigt.

Der Gestrenge hieß einige handfeste Kerle kommen.

„Schergen," rief er, „untersucht mir den Mann hier genauer!"

Es geschah und man fand des Goldes bei Gres= gruber noch viel.

„Nun nehmt ihn fest und spannt ihn auf die Folter!" klang's schrecklich an des Bauers Ohren.

„Gestrenger Herr, ich hab nichts gestohlen, ich bin unschuldig, habt Erbarmen!"

„Auf die Folter mit ihm, marsch!" befahl der Amtmann barsch.

Man führte den Armen, sein klägliches Flehen und seine Betheuerungen der Unschuld nicht achtend, in ein unheimliches Gewölbe, wo beim Scheine der blutroth leuchtenden Fackeln die schrecklichen Marterwerkzeuge sichtbar wurden.

„Ich befehle dir zum letztenmale, bekenne, woher du das Geld hast," erdröhnte des Gestrengen Befehl.

Da des Bauers Aussage von der früheren nicht abwich, so gab der Amtmann den Knechten einen Wink, worauf dieselben das Opfer packten und auf die Folter spannten. Gellende Schmerzensrufe ent= preßten sich den Lippen des Gemarterten.

„Laßt mich los, ich will alles gestehen!" flehte er.

„Daraus wird nichts, gesteh' zuerst, und dann bist du frei," war die Antwort des Amtmanns.

Nun erzählte der Gequälte alles so, wie es sich zugetragen.

„Hört aber auch, daß mir das Männlein drohte, daß, wenn ich die Sache verrathe, niemand mehr, als ein Stubenberger etwas davon haben werde," stammelte er mühsam hervor.

„Er lügt uns was vor, der Schwindler, der Betrüger!" brüllte der Amtmann wüthend.

„So befehlt ihm doch, daß er uns zum Schatze führe und uns davon mittheile, Gestrenger Herr!" meinte vermittelnd der Amtsschreiber. „Und wenn sich die Sache als wahr herausstellt, dann können wir ihn laufen lassen."

Der Amtmann dachte nach.

„Hast recht, wenn er uns den Schatz zeigt, dann wollen wir ihm glauben und ihn ziehen lassen, be= lügt er uns aber, dann weh' ihm!" willigte der Amtmann ein, obgleich er von der Sache nicht viel hielt. „Nun laßt ihn los, Schergen!" befahl er dann den Henkersknechten.

Man band den aus vielen Wunden Blutenden los und trug ihn in eine Kammer, um ihn zu ver= binden und ihm Pflege angedeihen zu lassen. Als der Gemarterte endlich nach längerer Zeit halbwegs wieder hergestellt war und gehen konnte, führte man ihn in Begleitung des Amtmannes zum Schöckl= kreuze, in dessen Nähe der Schatz sein sollte. Auch

die Schlüssel hatte man natürlich mitgebracht, welche
der Amtsschreiber in der Hand hielt, um die Thüre
hinter der Hollerstaude aufzusperren. Gresgruber
trat mit den Begleitern auf das ihm nur zu be=
kannte Gebüsch zu, doch die Thüre war und blieb
verschwunden, obgleich der Bauer die Stelle ganz
bestimmt für diejenige erklärte, von wo er so oft
Gold im Gewölbe geholt habe. Alles Suchen nach
der geheimnisvollen Thüre blieb vergebens, und der
Amtmann war wieder in großen Zorn gerathen.

„Er hat uns zum besten gehalten!" rief er
wüthend, „er soll es blutig büßen, der Elende!"

Der arme Bauer sollte wieder zur Folter ge=
führt werden, doch kam es diesmal nicht zur Marter,
da sich der Graf Stubenberg, der von der Sache
gehört, ins Mittel legte und den Gefangenen frei
machte. Sollte ja doch, wie sich der Zwerg geäußert
hatte, nach der Entdeckung der Schatz nur mehr einem
Stubenberger etwas nützen. Gresgruber theilte aus
Dankbarkeit seinem hohen Befreier von seinem Golde mit,
daß dieser in Wiener Neustadt, einer alten Münzstätte,
als echt und gut erproben ließ. Auch die zwei merk=
würdigen Schlüssel erhielten später die Stubenberger,
die sie wie ein altes Familienstück auf der
Stamm=Feste aufbewahrten. Ob aber dies alte
Grafengeschlecht das Glück mit den Schlüsseln und
dem verborgenen Schatze wirklich gemacht, das er=
zählt die Sage nicht. Gresgruber aber hatte mit
dem gefundenen Golde später noch viel Glück, alles

gelang ihm, und er baute sich schließlich ein großes Gehöfte, das heute noch in Passeil bestehen soll. Wie mir mein schlichter Gewährsmann versicherte, soll diese Sache, soweit sie sich vor Gericht abspielte, sogar in den alten Grazer Gerichtsacten protocolliert sein.

38. Beim Jungfern-Sprung.*)

Aus Kesting bei Ingolstadt in Baiern kamen
bereits im 8. Jahrhunderte gar edle Ritter
nach der schönen, grünen Steiermark und ließen

---

*) Ueber den Jungfernsprung siehe auch den „Aufmerk=
samen," 1814.

278

sich in der Nähe von Graz auf einem weitvorsprin=
genden Felsen an der Mur nieder, die Burg Gösting
gründend. Der Felsensitz war zum Auslugen weit
in die Lande nach Süden und theilweise auch nach
dem Norden, Osten und Westen ganz besonders ge=
eignet. Das Geschlecht dieser Grafen blühte bis über
die Mitte des 13. Jahrhundertes daselbst und brachte
unter anderen auch den Helden Swither von Gösting,
der unter Ottokar V. kämpfte, hervor. Der letzte
dieses Stammes war der Ritter Wülfling, der Vater
eines gar sehr geliebten Töchterleins, das viele
Freier von weit und breit anzog. Gar lockend
lag der herrliche Rittersitz, reich an Gütern, Ge=
mächern, Küchen, Ställen, Verließen und unter=
irdischen Gängen und dazu war die einstige Erbin
all dieser Herrlichkeiten sehr schön.

Eines Abends saß ein Pärchen auf einem trauten
Plätzchen unter den mächtigen Bäumen des Waldes.
Der Mond zog in seiner Pracht herauf, zauberhaftes
Silberlicht über die herrliche Gegend gießend,
die Sterne blitzten wie Diamanten am nächtlichen
Himmelsblau, und der dichte Wald rauschte und
duftete.

„Fürs ganze Leben will ich Dir gehören, Heinrich,
und keine Macht dieser Welt soll uns jemals trennen,"
flüsterte das Burgfräulein ihrem Begleiter zu.

„Bei meiner Ritterehre gelobe ich Dir ständige
Treue, du Holde! Durchs Feuer will ich stürmen und
dich aus dem Verderben herausholen, wilde Thiere

niederhauen, wenn sie Dich bedrängen, und jeden, der Dir nachstellt, mit meinem guten Schwerte zu Boden strecken!" rief Ritter Heinrich feurig.

„Sag an, soll mein Vater nichts davon erfahren, dass wir uns Liebe geschworen? Was wird er zu Dir, dem armen Ritter, sagen?" frug sie beklommen.

„Noch ist's Zeit, bis die Entscheidung kommt!" wehrte er. „Doch solltest Du darauf besteh'n, so hab ich nichts dagegen."

Die beiden verließen nach kurzem Gespräche den lieben Ort, Heinrich bestieg sein in der Nähe ange= bundenes Ross und ritt den vom Monde fast tag= hell beleuchteten Burgweg hinab, seiner Feste Thal zu, während sie durch ein verborgenes Pförtchen in die Burg schlüpfte.

Nicht lange nach dieser Zusammenkunft lud Wülfling viele reiche Edle und auch mindere Ritter der Umgebung zu sich zu Gaste. So zogen in diesen Festestagen fast alle Augenblicke stahlgepanzerte Ritter und Herren mit blinkenden Helmen und wehenden Büschen zur Feste, begrüßt durch schmet= ternde Fanfaren des auslugenden Burgwarts. Auch Heinrich war gekommen. Bald begann das frohe Mahl, das süßer Saitenklang, von Minnesängerhand hervorgezaubert, würzte. Der goldene Becher gieng von Hand zu Hand um die herrliche Tafelrunde, der auch viele Damen zugezogen waren. Das Fest hatte den Gipfel der Freude erreicht, als Herr Wülfling, der Gastgeber, sich erhob und Sang und

Klang Schweigen gebot, darauf den Grafen Kühn=
berg bei der Hand nehmend.

„Vieledle Herren!" rief er mit mächtig dröhnender
Stimme, „geladen hab ich Euch, damit Ihr Zeugen
seied eines Bundes, der heut vor Euch geschlossen
werden soll, denn wißt, ich hab Herrn Kühnberg
zum Gatten meiner Tochter mir erkoren, die man
die Schönste nennt im ganzen Gau. Dies Verlöbnis
mag vor Euch beschworen werden!"

Die stolzen Worte machten auf die Versammlung
einen mächtigen Eindruck, nur zwei waren zusammen=
gefahren: sie, die Braut, und Heinrich, ihr stiller
Verlobter. Schon wollte dieser wild aufspringen, um
eine Erklärung zu geben und Widerspruch gegen
Kühnberg zu erheben, als ihn ihr flehender Blick
traf, seinen Zorn vorläufig zurückdämmend. In dem
Momente trat Wülfling auch schon auf seine Tochter
zu, sie Kühnberg zuführend.

„Ihr habet meinen Segen, Kinder, zum Bunde
für das Leben!" rief er abermals, so daß man's
überall hören konnte.

Jetzt fuhr Ritter Heinrich auf, da er sich nicht
mehr halten konnte.

„Eure Tochter, edler Wülfling, gehöret mir als
stille Braut, das Band der Liebe hat unsere Herzen
längst geeint, und niemand wird sie von mir trennen!"
sprach er, so daß mächtiges Staunen alle Gäste
ergriff, die sich schon beeilt hatten, Kühnberg zu

umringen, um ihm zu der edlen Braut ihre Wünsche
darzubringen.

Wülfling sah finster drohend auf den kühnen
Ritter, der es gewagt, dies schöne Fest so unliebsam
zu stören. Da stürzte dieser zu jenes Füßen.

„Verzeihet, mächt'ger Herr auf Gösting, daß
ich die Störung mir erlaubte! Gewähret mir die
Bitte und hebt der Tochter Bund mit Kühnberg auf,
denn ich verehre sie schon lang und sie liebet mich.
Nicht Eure Güter, noch auch Euer Geld hat, ich
schwöre es, hier mein Herz geleitet, nein, treue, reine
Liebe war's. Hindert nicht den Herzensbund, der im
Himmel ist geknüpfet, und gebt mir segnend Eure
Tochter, zwei Menschen glücklich machend für das
Leben. Ihr werdet's nicht bereuen!" bat mit mächtig
eindringender Stimme Heinrich.

Alles stand tief erregt um die Gruppe der Vier,
um Vater, Tochter und die beiden Liebeswerber,
in höchster Spannung der kommenden Dinge harrend.
Da fuhr der alte Wülfling, der anfangs bei der
überraschenden Eröffnung des Ritters Heinrich finster
dagestanden, auf.

„Ha, Ihr wagt es, Ritter Heinrich, mir solches
heute zuzumuthen? Weh Euch! Ihr habt der Tochter
Herz, ohne daß ich's wußte, mir gestohlen und
trautet Euch nicht früher, mir's zu sagen? Nur Liebe,
sagt Ihr, wär's, was Euch geleitet? Nein, meine
Kisten und Kästen, meine Güter und mein Gold,

das waren die Köder, die Euch lockten!" donnerte er
mit furchtbarer erregter Stimme den Ritter an.

„Gemach, Herr Wülfling! Wohl störte ich das
Fest, doch irret Ihr, wenn Ihr mir Selbstsucht
unterschiebet. Der Kampf soll nun entscheiden!" rief
Heinrich, worauf er sich wüthend an den Grafen
Kühnberg wandte.

„Ihr habt geworben um des Burgherrn Tochter,
die schon lang' mein Herz besaß. Ihr rühmet Euch,
von altem Adel herzustammen, auch ich find meine
Ahnen unter Edlen und nehm's mit Eurem Adel
auf. Ich kann so gut wie Ihr um ein Edelfräulein
werben und werfe Euch den Handschuh vor die
Füße, auf daß der blanke Stahl im Kampf das
Urtheil spreche, wem Wülflings Tochter als Weib
soll angehören."

„Die Drohung eines Prahlers schreckt mich nicht,
ich hebe Euern Handschuh auf, mein Recht im
Kampfe suchend," schrie Kühnberg.

„Halt!" rief Wülfling, „ich lasse es nicht zu,
daß Kühnberg sich im Kampf mit Heinrich messe,
denn niemand als ich hat das Recht, meiner Tochter
Hand zu vergeben, und Heinrich ist mir nicht befugt, da
er keine Rechte an ihr hat, sie durch Kampf dem
Sieger zu verkaufen!"

„Nun sprecht, Ihr Herr'n und Ritter!" wandte
sich Heinrich an die Gäste, „was hier zu entscheiden
hat. Verhöhnt ist meine Ritterehre, weshalb ich

glaube, daß nur der blutige Streit hier sprechen
kann, wem sie folgen soll als Braut!"

„Der Kampf kann nur entscheiden nach alter
Rittersitte, den weder Wülfling, noch auch Kühnberg
hier verweigern darf," riefen die Gäste.

„Ich nehm' den Streit mit Heinrich auf, und
will mit seinem Blut das holde Fräulein mir er-
kaufen!" sprach der Kühnberger entschlossen.

Das Burgfräulein, der Gegenstand des Streites,
sank bleich zu Boden, die Aufregung und Furcht,
Heinrich zu verlieren, hatten sie in Ohnmacht gestürzt. Man brachte sie in ihr Gemach, während
das Fest dem Ende zulief.

Am anderen Morgen begann, sobald die Sonne
aufgegangen war, der Zweikampf. Beide Streiter
waren auf stattlichen Rossen auf dem Turnierplatze
im sogenannten Lindgarten erschienen, der Kühnberger in prächtiger Rüstung, die von Silber glänzte
und umgeben von einem Trosse von Knappen,
während Heinrich ohne Begleitung in einfacher
Rüstung auftrat. Sobald sie vor die Schranken gekommen waren, stiegen sie ab und empfingen die
Lossprechung von Priesters Hand, nachdem sie ge-
beichtet hatten. Konnte ja doch nur einer von den
Kämpfern lebend den Kampfplatz verlassen, während
für den anderen, welcher fallen sollte, schon der
schwarze Sarg bereit stand, zu dem die Blicke der
Duellanten auf einen Moment scheu hinüberschweiften.
Wer wird ihm entrinnen? Nun trat man in die

Schranken, und bald ertönte das Zeichen zum
Kampfe, die Streiter zückten die Schwerter und
stürmten auf einander los. Hieb auf Hieb fiel auf
Rüstung und Helm, so daß die Funken stoben,
doch keiner blieb der Sieger. Da warf man auf
Befehl des Herolds die Schwerter weg und begann
den Ringkampf. Unterdes betete das Fräulein in der
Kapelle für Heinrichs Sieg. Doch dieser ward immer
schwächer, und der viel stärkere Kühnberg errang
immer größere Vortheile. Aus beider Rüstungen
rann bereits an manchen Stellen Blut heraus, —
da, ein kühner Anprall und Heinrich lag zu Boden
geschmettert, worauf ihm der Sieger den tödtlichen
Dolch in die Brust stieß. Ein Blutstrahl entströmte
der Wunde, und Heinrich hatte geendet. Als man
dies der Betenden mitgetheilt, stürzte sie mit einem
gellenden Schrei des Entsetzens auf den Theuern
zu, dessen Leben sie nicht mehr zurückrufen konnte.

„Er ist todt, todt!" schrie sie verzweifelt auf, wo=
rauf sie sich aufraffte und davoneilte.

Wie wahnsinnig lief sie herum, kam hinan bis
zum Felsenrande und stürzte, einen Fehltritt machend,
in die schauerliche Tiefe der damals noch knapp
am Bergfuße vorbeifließenden Mur. Die Gäste
aber, die zu frohem Feste hiehergekommen waren,
befiel Grauen, und sie beeilten sich, die Schreckens=
stätte zu verlassen. Wülfling traf der Schlag über
das entsetzliche Ende seiner Tochter, das er mit=

18

verſchuldet hatte und war ſo der letzte ſeines Stammes.

Bei Mondſchein irrt des Burgfräuleins Geiſt jetzt noch immer auf der Ruine herum, jammerd und klagend um ihren Heinrich und ins Thal lugend. Die Stelle aber heißt im Volksmund der „Jung= fernſprung.“

39. Die blauen Ritter.

rü=
ben
an der Stöf=
lacher Bahn liegt eine stattliche Ruine, die,

18*

wenn die Steine Jungen hätten, gar vieles über längst entschwundene Zeiten ritterlicher Romantik erzählen könnte. Kommt die Zeit der Tag= und Nachtgleiche im Frühjahr und Herbste, so wird's in den sonst so ruhigen, öden, zerfallenen Mauern sehr lebendig. Denn während unter gewöhnlichen Zeiten sich nur hie und da ein einsamer Tourist oder etwa ein grübelnder Alterthumsfreund hieher verirrt, um die gewaltigen Denkmale einer eisenfesten Ritterzeit neugierig zu begucken, oder mit prüfendem Blicke zu untersuchen, so erscheinen jetzt ganz andere Gesellen in der Ruine. Weit und breit wissen's noch die älteren Leute, daß jetzt für diejenigen, denen das blinde Glück gerade nicht besonders hold ist, wieder einmal die günstige Gelegenheit gekommen ist, das= selbe beim Schopfe zu packen, auf daß es ihnen etwas in den Schoß schütte. Und dieses Glück er= scheint, wie das Volk fest glaubt, in den Zeiten der Tag= und Nachtgleiche in Gestalt der ehemaligen Ritter der Burg, die nach ihrem schon längst er= folgten Tode als Geister auf ihre alte Feste zu kommen pflegen, um hier für kurze Zeit zu hausen. Da diese Geister aber stets in blauen Ge= wändern erscheinen, so nennt man sie die blauen Ritter. Wer glauben würde, daß dieselben freiwillig kämen, der würde sich sehr irren, denn sie erscheinen gezwungen von einer höheren Macht und zwar des= halb, weil sie in ihrem Leben von ihrem Reichthum

den Armen wenig mittheilten, welche Liebespflicht
sie nunmehr nach ihrem Tode nachzuholen bemüssigt
sind. Ist also die von vielen längst herbeigesehnte
Zeit gekommen, so geht man der Ruine zu, sobald
sich die Schatten der Nacht darüber gebreitet haben.
Geheimnisvolle Thüren der Feste haben sich geöffnet
wie durch einen Zauberspruch und lassen jene
Muthigen ein, die sich zu den Geistern wagen. Die
Geisterstunde rückt immer näher, das Zwielicht des
Mondes leuchtet hie und da durch die schwarzen,
zerrissenen Wolken auf die gespenstisch gegen den
nächtlichen Himmel ragenden Mauertrümmer, und
so manchem wird es gruselig zu Muthe bei dem
Gedanken an die baldige Ankunft der blauen Ritter.
Doch wer nicht unerschrocken standhält und das
Grausen überwindet, der darf nicht hinein. Auch
das Reden ist verboten, denn die Ritter lieben das
viele Fragen und Antworten nicht und vertreiben
jeden, der sich ein nicht hierher gehöriges Wort er=
laubt. Ausgenommen ist nur ein gewisser Bitt= und
Dankspruch, der von jenem, welcher etwas erhalten
will, oder bekommen hat, genau aufgesagt werden
muss.

Es schlägt 12 Uhr Nachts. Unter dem Geklirre
ihrer Sporren erscheinen die blauen Ritter, unter
deren Gewändern die Stahlrüstungen hervorblicken.
Nun gilt's, alle Courage zusammenzunehmen. Ernsten
Tones fragen die Ritter jeden einzelnen der Reihe
nach:

„Sag an, was ist dein Begehren?" —

> „Ich bin gekommen her,
> Edler Rittersherr,
> Zu bitten Dich
> Gar inniglich
> Um eine kleine Gab',
> Gering ist all mein Hab'!"

— muß jeder antworten.

Und wem's gelingt, den Spruch ohne Fehler
aufzusagen, dem werfen alle Ritter der Reihe nach
Gold= und Silberstücke in den hingehaltenen Hut,
bis er voll ist. Nun gehört sich's, den Dank zu
sagen, der so lauten muß:

> „Vergelt's Euch Gott!
> Rett' Euch aus aller Noth,
> Wann Euer Herzenleid,
> Bring Euch zur ew'gen Freud!" —

Wer aber den Dank vergißt, dem verschwinden
die Geldstücke vor den eigenen Augen. Ist die Ver=
theilung zu Ende, so verschwinden auch sogleich die
merkwürdigen blauen Ritter wieder in dem Gemäuer
der Ruine, und auch die Beschenkten müssen von
dannen eilen, sonst passiert's ihnen, daß sich die
geheime Pforte schließt und sie bis zum Morgen
hier einsperrt. Wehe aber dem Hasenfuß, der aus
Angst beide Sprüche vergessen hat oder nicht
gehörig aufsagen kann. Mit Schimpf und Spott
wird er von den säustigen Knappen der blauen
Ritter von der Ruine gejagt und kann sich am

anberen Tage ftatt bes Gelbes feine blauen Flecke anfehen. Es heißt, baß fich ehemals mancher auf ber Ruine ein kleines Vermögen geholt habe, währenb in neuerer Zeit von ben blauen Rittern nicht mehr fo viel wahrzunehmen fein foll. Wahrfcheinlich beginnt ihnen bas Gelb auszugehen.

2. Theil:

Volkslieder.

1. Das Hirtenspiel von Frauenburg.

Steffl:

„Hört's, Buama, steht's g'schwind auf!
Und schau ma das Wunderding an!
Was gibt's denn da unt'n für Liecht'n [1]?
Hört's, Buama, hiazt schau ma's grad an.
's möcht sein [2]) am End a Kometstern,
Bue Adam, i glaub's ja fast gern.
Es wird halt bedeut'n an Krieg,
So geh' ma nur hurtig und frag' ma,
Wer woaß, was epper noch g'schieht!"

Adam:

„Dort sich [3]) ich im Himm'l viel Liecht'n,
Viel Tausend seind fertig auf d' Roas [4]).
Wann s' auf uns sollt'n anrück'n,
Daß a jeder sein' Steck'n g'schwind woaß [5])!
Hiazt kimmt halt wirkli schon oana,
Der is a net gar a kloana,
Er geht a grad her auf sei Ziel,
Aft geh' ma ganz lusti und frag ma 'hn,
Was er mit uns epper will?"

---

[1]) Lichtschein großer Sterne. [2]) Es wird sein . . . [3]) sehe.
[4]) Zum Wandeln ihrer Bahn. [5]) Wenn die Sterne nach Art des
Sternes der drei Weisen uns den Weg zeigen sollten, so soll mir
jeder bereit sein!

Rüpal[1]):

„Hiazt geht ma der Traum[2]) schon vo statt'n,
Da kimmt ja a Eng'l daher.
Mir[3]) derf'n ihn gar net lang frag'n,
Er schreit scho von weit'n daher:
„Seib's fröhlich, seib's fröhlich, ihr Hirt'n,
Des derft's eng vo uns gar net fürcht'n,
Ehre dem Herrgott im Himmel,
Der Schöpfer wird halt'n sei Wort:
Er gibt eng, die Welt zum[4]) erlös'n,
Sei allerlezt' Gut, was er hat!"
So sagt uns der Eng'l, vasteht's mi,
Da jed'r sei G'wiss'n[5]) wohl hat.
Sein' Sohn, den wird er uns schick'n,
Den werns d'r nacher daslick'n[6]),
So hat uns d' Proph'zeiung scho g'sagt.
Af d' lezt da wird er sei Leb'n
Am Kreuz für uns Schäflein hingeb'n,
Damit uns der Wolf nit ertappt."

Steffl:

„Hiazt geh' ma glei lusti und renna,
Daß ma das Kindl dafrag'n.
Af[7]) Betlehem wa's[8]) halt am schönst'n,
Das muß i ja hiazt'n glei sag'n[9]).
Geh, Hiesl, mei Bua, voran,
Mir sa ma ganz nahent[10]) daran."

---

[1]) Ruppert. [2]) Räthsel. [3]) wir. [4]) um die . . . [5]) Das
soll wohl bedeuten: Das Wissen oder Bewußtsein von der Er-
lösung. [6]) quälen. [7]) in. [8]) wär's. [9]) er will sagen:
Mein Wunsch geht nach Betlehem. [10]) nahe.

Hiesl:

„Bua, Steffl, du haft es errath'n,
Mir seh'n ihn ¹) schon lieg'n am Heu."

Lipperl²):

„Hiazt möcht' i mi harb'n ³), zan Blunda ⁴),
Was ham ma vergeff'n, mei Bua,
's hat koaner a Opfer mitg'numma,
Hiazt kemm' ma ganz leera dazua!
I hon auf alles vageff'n,
Geh, Hiesl, geh nimm ⁵) was zan Eff'n,
I nimm in mei Ranzal ⁶) a G'wand
Und etla Maß Bier in mein Blutzger ⁷),
Dafs doch af b' Feirta was hant."

Hiesl⁸):

„Gott grüaß eng vo Herz'n beisamma,
Geht's, Buama, fallt's nieder auf d' Knie!
I bin mit mein Sacherl beisamma,
Hon 's Ranzal scho boda ⁹) bei mir.
Das wir i beim Krippl aufmach'n
Und 's Büwal wird dazua lach'n!"

Steffl:

„Mir hat's gar sei Handl schon geb'n!"

Lipperl:

„Das Bier da im Blutzger g'hört dein ¹⁰).
Und der Muada daneb'n!"

---

¹) Den Jesusknaben.   ²) Philipp.   ³) ärgern.   ⁴) zum
Plunder. ⁵) hole.   ⁶) Ranzen.   ⁷) Geschirr.   ⁸) Hiesl ist nach
Herbeischaffung von Opfergaben mit den andern bei der Krippe
zusammengetroffen.   ⁹) hier.   ¹⁰) Das sagt er zum Christkind
gewendet.

Adam:

„Was gib denn nur i dem kloan Büwal?
I woas ja vor Freud'n nit aus
Und weil es ja is unser Brüdarl [1]),
So nehm ma es almerisch [2]) auf!
Bua, jodl und nimm g'schwind bei Pfeifa!"

Lipperl:

„I thua ja schon darum greifa,
Blas du in dein' Dudlsack drein,
Und tha ma beim Krippl oans singa
Das wird halt das Kindl sehr freu'n!"

Alle:

„O Jesu, wir fall'n dir zu Füß'n,
Verleih uns dei göttliche Gnad,
Wann wir vo der Welt scheid'n müss'n,
Daß a jeder den Himm'l g'wiß hat.
Wir woll'n dich alleweil preis'n,
Dir Dank und Ehre erweis'n.
Wir schenk'n dir's Herz zu oan Pfand,
Das laß ma dir da bei der Kripp'n,
Aft roas'n ma wieder af's Land."

Steffl [3]):

„He Bua, he Hiesl, was is denn?
Reck'n Kopf af d' Höh schon amal,
Thua ma a wenkal [4]) umgaffa
Und los [5]) ma, was 's is für a G'schall,

---

[1]) Brüderchen.   [2]) nach Almbrauch.   [3]) Nachdem alle zu
ihren Ställen zurückgekehrt sind und sich schlafen gelegt haben,
weckt Steffl den Hiesl, ihn auf die Musik und den Lichtschein,
den die zur Krippe niedersteigenden Engel verbreiten, aufmerksam
machend.   [4]) wenig.   [5]) horchen.

Hon mei Lebta schon oft g'hört singa
Und pfeifa und geiga wohl a.
So kunnt i 's net z'weg'n bringa
Und wann i a Spielmann a wa."

Hiesl:

„Mei Steffl, was hast für a Sauf'n [1]),
So gib mir an Fried doch amal.
Hast alleweil noch zu kalmauf'n [2]),
Du machst ma ja heunt schon a Gall.
Lass 's singa, lass 's pfeifa, lass 's geiga,
Wann's g'nua han, so werd'n 's schon schweiga.
Hiazt will i noch schlaf'n vans drauf."

Steffl:

„Ei, Hiesl, du Bärenhäuter,
Knoß [3]) di so lang nit im Bett,
Steh auf und geh ma schon weiter,
He, Bua, he, schamst du di net?
Lass di so oft doch nit heiß'n,
Hiazt steig amal g'schwind aus 'm Nest!
Oder soll i di außischmeiß'n?
Geh, treib' ma die Schaf' amal aus!"

Hiesl:

„Die Schaf' wir i hiazt'n austreib'n?
Die halbe Nacht is erst vabei,
Das Ding, das lass i schön bleib'n!
Das wa ma halt ja a Narr'thei,
Mei Steffl, da wird dir nix draus!
Wa morgens alleweil grantig,
Wann i nit ausschlaf'n kunnt'."

---

[1]) lärmen.   [2]) brummen.   [3]) wälz dich nicht herum.

Steffl:

„Die Nacht muaß fein scho verganga,
's is umadum alles scho Licht,
Denn b' Sunn[1]) thuat zan Scheinen afanga,
Dafs ma scho alles a sicht,
's is a so licht in der Weit'n,
Wie sist[2]) nur bei helllichtem Tag.
Was muaß denn das Ding nur bedeut'n?
I laf halt, dafs i 's dafrag."

Hiesl:

„Mei Steffl, i lafs ma 's nit nehma,
Sie hant halt in'n Himm'l z'viel g'heizt,
Aft is eahn a Foier auskemma,
Drum thuat's hiazt gar so herschein'.
Das wird dir ganz sicher so sein.
D' Engel kannst schippelweis[3]) seg'n
Was sie nur hab'n für a G'seus[4])?"

Steffl:

„Du bist wohl gar narrisch, mei Hiesl,
Dafs dir nur so was a einfallt!
Wer wird denn gar heiz'n in'n Himm'l?
Unsern Herrgott ist ja nit kalt.
Thu ma nur runduma frag'n
Und geh ma nach Betlehem heut.
Durt wird's uns g'wifs vaner sag'n,
Was denn das Ding nur bedeut't."

Hiesl:

„Bua, was thoan's denn durt mocha,
Wie geht's doch beim Stall durtn zua?
Was is denn nur bös für a Socha?
I kann mi nit wundra gnua.

---

[1]) Er hält den Lichtschein der Engel für die aufgehende Sonne.
[2]) sonst. [3]) scharenweise. [4]) lautes Reden, Singen, Lärm.

I

Hiazt geh ma und than ma halt guck'n
Und schau ma bald, was es kann sein.
Der Stall, der is voller Luck'n,
Da könn' ma ja leicht einiguck'n."

Steffl:
„Siegst du den Josef durt huck'n?
Und wie er das Büwal betracht't!
Siegst, wie sich die Mutter thuat buck'n?
Und wie sie zum Wuzerl[1] nur lacht!
Geh ma hin und than ma 's schön grüaß'n,
Die Leutl, die seind voller Noth,
Und wenn ma was schenk'n a müaß'n,
So krieg ma dafür a: Gelt's Gott!"

---

[1] kleines Kind.

2. Almlieder.

Die Almfahrt.

Der Bauer:
„Wann's an Fink hört's,
Kimmt er ¹) auswärts.
Geht d' Luft liebla
Durchs Thal daher,
So kemmen d' Schwalb'n on.
Singen d' Lerch'n schon,
Wird's zum Almfahr'n
Zeit ja grad. —
A Ruh hat's Spinnrad,
Und's ewige Sitz'n
Beim Stub'nhitz'n
Wird a gar!"

Die Schwoagerin:
„I hab mi lang g'freut.
's is mei Zeit,
Is d' scheanst' im Jahr.
Dort beim Wegerl
Nist't a Vögerl,
Hat in d' Hollerstaud'n
's Nesterl aufig'macht.
Dort beim Steigerl
Waxt a Veigerl.

---

¹) nämlich der Frühling.

Is a G'ruch'n,
Is a Pracht!
Wann der Tag lacht,
Singt am Nußbam
Hoch im Gipfling
Schean der Redling [1]).
Und af d'r Alma
Geht der Schnee
Schon weg, duliöh!"

Alle Hausleute:
„Is der Winter gar,
Kimmt das Frühjahr,
Und alles gfreut si schon.
's dauert nimmer lang,
Wo ma wieder dann
Af d' Alma fahr'n kann."

Schwoagerin:
„Selb das Vieh gar
Kennt das Frühjahr
Und muaß vor Lust röhr'n [2]).
's bringt schon lang gnua
Die Zeit im Stall zua
Und möcht gern ausgeh'n,
Denn beim Dasteh'n,
Das muaß a jeder seh'n,
Hat 's sehr oigmacht [3]).
Schütt'n [4]) gab's dir
D' Hälfte Stroh schier,
Und die Streu hans

---

1) Ein Vogel, der zeitig früh singt.   2) vor Freude brüllen.
3) abgemagert.   4) Futter.

19*

Gar von Graffi ¹) g'macht.
Vor der Stallthür
Schau ich grad für ²)
Am hoh'n Schlag.
Hiazt geht's oad ³) her,
's liegt koa Schnee mehr.
A der Wald treibt an,
I frig's mit Freud'n
Hiazt von weid'n."

Die Hausleute:
„Wie's oan wohl g'schicht ⁴),
Wenn ma umesicht
Und das Frühjahr kimmt!
Wie die Wisna grean'n,
Und die Bamla blean,
Und das Bacherl springt!"

Bauer:
„Geht's glei der Alma zua
Mit die Kalm und Kuah
Und nehmt's a Hack'n mit.
Vergesst's die Sag'n nit.
Die Bäu'rin geht schon
Und füllt eng b' Säck on.
Vergesst's mer ja nit
Auf den Galtviehstall ⁵)!
Und schaut's af jed'n Fall
Nach im Stalldach.
Fehlt epp'r a Brett noch?
Was is 's mit'n Wiesenzaun?

---

¹) Laub. ²) vor mich hin. ³) öde, schneeleer. ⁴) wohl zu
Muthe wird. ⁵) Stall für unfruchtbare Kühe.

Schaut's beim Weg nach,
Ob der Stoßbach
Nit hätt' Luck'n ¹) g'riss'n
In den hoh'n Furt ²)?
Des, Franz und Honna ³),
Putzt's die Pfonna ⁴).
Reibt's die Stölzl ⁵) her!
Nehmt's zwoa Grastua
Gries und Mehl gnua.
Salz und Brot a,
Und aon Kernstoan ⁶)
Müaßt's dazu thoan.
Aft vergeßt's mer nit
Auf o'n Schatt'nkessl ⁷)
Und nehmt's zwoa Sicheln mit.
Dann das Kochg'schirr,
Das richt' die Bäurin für,
Und was sonst noch woa ⁸)."

        Alle Hausleute:
„Richt's fein alles her,
Was nur von nöth'n wär,
Versammt's mer ja koa Zeit,
    Denn die Kuhla all
    In eahna Winterstall,
    Die röhrn vor Zeitlang ⁹)."

        Bauer:
„No amal schleini
Muaß ma eini ¹⁰).
Schaut's um an Weihbrunn

---

¹) Löcher.   ²) Almweg.   ³) Johanna.   ⁴) Kochpfanne.
⁵) Milchgeschirr.   ⁶) hartes Salz.   ⁷) Käsekessel.   ⁸) ... von
nöthen wäre.   ⁹) Langweile.   ¹⁰) .. ins Haus.

Müaſſen s' ſegnen a.
Nacha helft's glei,
Gebt's eahn die Gab ei:
Dan Brod mit Rauka [1] g'weiht.
Hiazt, Schwoagrin, oans no:
Schau auf b' Miz bo,
Schau, 's Dindl is jung,
Nit z'viel ageb'n [2]),
Chriſtli fortleb'n,
Aſt mag eng g'wiſs net
Leicht a Unglück on [3]).
Treit's ma fort ſchon,
Und nehmt's in Gottes Nam
Engern Schatt'n z'ſamm,
Und Schmalz und Butter a.
Und nacha ſchaut's halt,
Daſs eng nix afallt.
Und bringt's alls, wie mer's ham [4]).'

    Die Schwoagerin:
„In oan Gſpreng [5]) zua
Geht die Glock'nkuah,
Und 's kloane Bräunl
Steht ſchon beim Buch'nwald.
Das Vieh, das woaß gar bald,
Was eahm Freude macht.“

    Die Hausleute (zu den Fort=
        treibenden):
„Gib eahn, lieber Herr,
Deinen Himmels=Segen
Af all'n Wegen!

---

[1]) mit Weihrauch geweiht.   [2]) ſich mit jemand abgeben.
[3]) kann euch nichts anhaben.   [4]) bringt das Vieh geſund, wie
wir's haben, nach Hauſe.   [5]) luſtig ſpringend.

Nun pfüet eng Gott beinand,
Und schickt's uns fleißi Grüß
Und sucht's uns hoam g'wiß!
Holladiödioh!"

(Frohnleiten.)

Die schlimme Schwoagerin.

Schwoagerin:

„Geh, Kuhdirn, steh auf,
Die Sunn kimmt scho rauf,
Sunst könnt'n die Kuhla
Mit der Mili davon!
Hiazt kimmt a die Bäu'rin
Aufi auf d' Alm.
Haft alles a vor'kehrt?
Dass s' mer nig hört [1]!'

Bäuerin [2]):

„Ha, Schwoag'rin, geh, sag mir,
Wie kimmt denn das Ding,
Dass i schon so langher
Koa Milch nit z'sammbring?"

Schwoagerin:

„Ja, Bäu'rin, i sag's eng:
Wo nahm denn i b' Milch,
Wann die Küah, jung und alt
Ja seind alle galt [3]."

---

[1] Dass sie nichts Unordentliches erfährt.   [2] welche inzwischen herangekommen.   [3] unfruchtbar.

Bäuerin:

„Das kann i dir, Schwoagerin,
Ja wirkli nit glaub'n,
Du machst mer schon allweil
Was blabs ¹) für die Aug'n."

Schwoagerin:

„Und wann ös 's nit glaubt,
Müaßt's die Kuhdirn halt frag'n,
Die wird eng ganz sicher
Die Wahrheit schon sag'n."

Bäuerin:

„Hiazt sag mer, mei Kuhdirn,
Wie denn das kimmt,
Daß mer mei Schwoagerin
Koa Milch nit zammbringt?"

Kuhdirn:

„Wir hätt'n wohl Milch
Und Schmalz wohl a gnua,
Doch die Schwoag'rin braucht's
Halt alls für eahn Bua."

Bäuerin:

„Das glaub i dir, Kuhdirn,
Ja wirkli ganz gern
Du muaßt mir aufs Jahr noch
Mei Schwoagerin wern."

---

¹) blaues.

Kuhdirn:

„Und nachst [1]) hat ihr oaner
'n Kirta [2]) halt kauft,
Da hamt eahnra neune
Um sie umag'rauft.

Und der Hansl, der hat si
Gar saggrisch schon g'wehrt
Und hat alle achte
Ueber'n Hauf'n glei 'kehrt.

Nacha geh'n halt die zwoa
In d' Almhütt'n nei
Fress'n Butter und Kas.
Trink'n Steimorer Wei."

(Frohnleiten).

---

[1]) unlängst.   [2]) Kirchtagsgeschenk.

3. Jägerlieder.

's Gamslied.

Af der hoh'n Alm
Seind viele Gamsla droben.
Hiazt thu is aufigeh'n
Aufs Bergl hoch da obn.
Da thu is zuwisteh'n [1]
Und mei Bürl spannen.

I schieß aufs Gamsl nauf
Und treff's a grad beim Lauf
Da thuat's van Plärer [2] mach'n,
Daß mer's Herz thuat lach'n.
Aft kommt 's obipurzelt
Ueber d' Fels'nwand.

Und das Gamslschieß'n
Is mei größte Freud,
Weil's beim Gamslschieß'n
Schöne Gamsbart geit [3].
Die steck i auf'n Huat,
Die steng'n mir so guat.

I geh ins Wirtshaus nei.
Und trink a Glasl Wei,
Da kimmt die Kelln'rin her
Und fragt mi, wer i wär?
I sag: „A Gamsljager
Wohl aus Tirol."

---

[1] anstellen. [2] Schreier. [3] gibt.

J trink mei Glasl aus,
Und geh schön stad nach Haus,
Da kimmt mer d' Knelln'rin nach,
Wollt' nach Tirol mit nein,
O schönste Kellnerin,
Das kann nit sein!

(Frohnleiten).

Hieslied.

Seppl:

„O Hiesl, o Hiesl,
Setz auf dein grean Huat,
Der Gamsbart und die Federlein
Die steng'n dir so guat.

O Hiesl, o Hiesl,
Setz auf dein grean Huat,
Geh mas schieß'n in den Wald
Hast ja oan küan' Muath."

Hiesl:

„Wo wer mers denn heut bleib'n,
Wo kehr mers denn heut ein?"

Seppl:

„Bei der Förstersschwoagerin,
Da kehr mers halt glei ein."

Hiesl[1]):

„O grüaß die Gott, mei Schwoagerin,
Hiaz san mas wieder do,
Thu uns a wengl g'halt'n[2])
Und schlag's uns ja net o!"

---

[1]) nachdem sie bei der Almerin angekommen.   [2]) bahalten,
bewirten.

Schwoagerin:

„Gehts eini in mei Hüttl
Und bleibts a Weil do drein,
I bring eng Kas und Butter,
Dazu a Glasl Wein!" —

Kaum hat sie das noch g'sagt,
Da steh'n sex Jäger drauß'n.
„O Hiesl," ham sie g'fragt,
„Bist drinnen, Wildschützbua?

Setz auf dein grean Huat,
Du muaßt auf jeden Fall
Mit uns ja heunt noch fort
Afs G'schloß[1]) da brent im Thal."

Hiesl:

„Und ehr i hiazt mit eng geh,
Ehr mag i ja mei Leb'n,
Und wann i 's letzte Tröpferl
Bluat a sollt' hergeb'n." —

Hiazt hat er drei derschoss'n,
Drei seind davong'rennt.
„Gelts, ös liebe Jager,
Das habts noch nie a 'kennt?"

(Frohnleiten).

Wildschützklage.

Mit 'n Jogl ist koa G'spoaß,
Der macht mer 's Gamslschieß'n hoaß,
I lauf oft, daß mei Steck'n kracht,
Der Rucksack af'n Buckl schlagt.

---

[1]) zum Herrschaftsgericht, wie sie ehemals waren.

Da Jaga is a hibscha Mann,
Tragt Lob'nrock, grean Aufschläg dran,
Dem Schneider is er 'hn schuldi no
Mir wa 's zu schiach, das sag i do!
   (Frauenburg bei Unzmarkt).

Der lustige Jäger.

I bin a Gamf'njäger
Wohl aus Tirol,
I schieß die Gamsla all
Glei nach der Wahl,
Holladiö, holladio!

Und Sunnta setz i mir
Mei greans Hütl auf
Und steck a schwarze, krumpe
Schöne Feder drauf
Holladiö, holladio!

     (Frohnleiten).

4. Liebes- und humoristische Lieder.

's Abendspat.

Es war amal a Abendspat,
Ganz a wunderschöne Nacht,
Die Stern am Himml leuchtent schön.
Da hab i mir halt glei a 'dacht:
J wir zu meiner Liebst'n geh'n.

Und wir i übers Bergl geh,
Da hör i obn und im Thal
Den schönen Sang der Nachtigall,
Die so liabli pfeift und singt,
Vo einem Bam zum andern schwingt.

Sie pfeift mer vor a schönes Stud,
Das bringt mer gar sehr viele Freud.
Und wir i zan Schlagfensterl schreit,
Hat 's Dindl mi so freundli 'grüßt,
Dass i vor Freud hab jauz'n g'müßt.

Und wir i mir dann Urlaub nimm,
Fangt 's Dindl glei zan Woanen on:
„O Gott, hiazt gehst mer gar davon!"
„J bitt di," sag i, „woan doch nit,
J kann dir, Schatz, ja helf'n nit!"

(Frauenburg)

Beim Fensterln.

Bei mein Dindl ihrn Fensterl
Scheint gar nie koa Sunn,
Geht koa Straß'n vabei,
Geht koa Fiakerei.
'Raufsteig'n zan Fensterl,
Das wa halt mei Lem[1])
Wann 's an Brantwein durt gem[2]),
Stehet lang i danem[3]).

Da drunt'n beim Grabal,
Wo 's Wasserl so rauscht,
Hon i und mei Dindl
So herzli was 'plauscht.
Da sam mas halt g'sess'n
Zam schön im Gras
Und ham der was 'gess'n
Und g'sung'n a was.

I kanns ja nit Feind sein
Dem Dindl, dem kloan,
'S thuat allemal woan',
Wann i sag: „I geh ham!"
So bleib mas beisamm,
So lang, daß 's uns gfreut,
Bis halt der Kucku
Und 's Rothkröpferl schreit.*)

(Frauenburg).

---

[1]) Leben.   [2]) gäbe.   [3]) daneben.
*) Dies Volkslied, das sich auch bei Neckheim unter den
Kärntner Weisen findet, ist allgemein almerisch, also nicht auf
Kärnten allein beschränkt.

Die pfiffige Köchin.*)

Es is amal a Köchin gwen,
Die hat a Gansl 'bratn,
Aber 's hat das guate Kind
Das Nasch'n net könn' grath'n ¹).

Und wie das Gansal 'brat'n is,
Da is sie glei so keck
Und nimmt die Gans mit voller Gier
Und schneid' ihr glei a Haz'n weg.

Aft fangt sie g'schwind zan Nasch'n an
Und trinkt dazu oan Wein
Und sagt: „Das Gansal wa net schlecht,
Es kunnt net besser sein!"

Der Herr, der is im Zimmer drein,
Gahn hungert's ja für vier,
Aft nimmt's das 'brat'ne Gansl g'schwind
Und stellt eahm 's freundli für.

„Zum Teixel", sagt der Herr zu ihr,
Was hast denn du da than?
Bei derer Gans is, wie ich sieg,
Ja nur a Haz'n dran.

Du muaßt ja oane g'fress'n han,
Das kann net anders sein.
Das Gansal hat zwoa Haz'n g'habt,
Das muaßt ja g'steh'n ein!" —

„Ja ehr i eng was nasch'n thät,
Ehr laß i mi eigrab'n,
Es gibt ja wohl gar viele Gäns',
Die nur a Haz'n hab'n."

---

¹) entrathen, sich enthalten.

*) Ländlich-volkssängerischen Ursprungs.

Hiazt führt die Köchin ihren Herrn
In 'n Gart'n glei hinaus
Da seh'n sie wie von ungefähr
A Gans beim Gart'nhaus.

Die that auf oaner Haz'n steh'n,
Weil sie hat g'schlaf'n grad.
„Hiazt schau der Herr die Gans nur an,
Ob 's net a Haz'n hat?" —

Der Herr, der fangt zan ruf'n an:
„Gansal, wurl, wurl, wurl!
Ober Köchin, Köchin, sixt,
's san doch zwoa Haz'n dran!" —

„Ja, wenn der Herr zur 'brat'nen Gans
A hätt: wurl, wurl! g'schrie'n,
So hätt sie a zwoa Haz'n kriegt,
I laß mi nit betrüg'n."

(Schüsserlbrunn).

's Stoanberger Bäuerl.

I bin das stinknortige [1]) Stoanberger Bäuerl,
I woaß weder aus, weder ein,
Weil's mi so saggrisch thuat brauf'n [2]),
Der Teixl, der sollt hiazt a Bauer sein.

Grad hiazt, in den schlechtesten Zeit'n,
Muaß oaner gar viel arbeit'n.
Ma kimmt immer mehr in die Schuld'n,
Da möcht oan vageh'n die Geduld.

Mei Häusl steht drobn af der Leit'n [3]),
Koa Stund bin i sicher dabei,
Ob 's mer net obe thuat reit'n [4])
's hat eh schon a Spreiz'n [5]) zwoa, drei.

---

[1]) erbarmungswürdige.   [2]) schlecht gehen.   [3]) Lehne.
[4]) abrutschen.   [5]) Stützen.

20

Mei Thür die is voller Luck'n,
Die Stühl, die gehnt aus 'm Leim,
Und mir is zan Fenster schreit für,
Da fig i statt Scheib'n Papier.

Der Stadl steht a af zwoa Spreiß'n,
Viere schier sollt'n noch sein.
J trau mi drin gar nimmer z' schneuz'n.
J moan scho der Teigl fallt ein.

Der Brunn macht mi alleweil rath'n,
Muaß alleweil a Wasser eiloat'n,
Aft rinnt's mer gar umadum aus,
Hon wieder koa Wasser im Haus.

Hon fünf a¹) sex Garrn²) da hint'n
Und hab net oan oanzig ganz Rad,
J muaß sie mit Strick'n zammbint'n,
Wann i amal außifahr'n thua.

Nachst hon i die Ox'n mitg'numma,
Da gehent ma b' Nadeln vonander.
Aft bin i zan Robot'n kumma,
Hab'n Garr'n af'm Buckl hoamtrag'n.

Knecht hon i a glei nur oan weng'n³),
Vadient ma das Jahr nit oan Pfenn'gn
Vo lauter sein Zaun umerloahn,
's wa g'scheiter, i halt mer gar koan.

Er is so a moderfauls⁴) Mandl,
Hat alleweil mit'm Nopfeßn⁵) handl⁶).
In der fruh ja da ranzt er sich aus
Und aft geht er schö stad aus 'm Haus.

---

¹) bis.   ²) Karren.   ³) schlechten.   ⁴) stinkfaul.   ⁵) Nicken,
Schlafen.   ⁶) hat zu thun.

Die Menscher [1] sant grundlose [2] Trümmer [3]),
J möcht eahn die Haz'n oschlag'n,
Die lass'n sich b' Arbeit afriemen [4]),
Aft sollt ma dazu a · nix sag'n.

Und nachst [5]), da schickt ich s' um Tax'n [6]),
Da macht'n s' mit'm Knecht gar viel Fax'n,
Sei Arbeit die halt'n s' nur auf,
Und richt'n a selber nix aus.

Und Sunnta, da thoans nix als tanz'n,
Dass ma glaubt, 's geht alles af Frantz'n,
Verführ'n die Buab'n so guat,
Dass koaner mir seli wern thuat.

Die Gerst'n is a net guat g'rath'n,
Den Woaz [7]) hat die Sunn mir verbrat'n [8]),
Vor Hitze verschmacht' i 's halb Jahr
Und 's halb Jahr dafrier i schon gar.

Stier hon i a glei so oan magern,
Für 's Ross da hon i koan' Habern,
Kam fahr i da draußen a Trum [9]),
So fallt mir der Häuter [10]) schon um.

Mei Weib, das is a so besunna [11]),
Sie kimmt mir so wunderli für.
Die schlechtesten Leut die hon i,
A guater, der geht net zu mir.

Dann thuat mir mei Weib a viel schlaf'n,
Wann s' auf is, da thuat s' wieder schaff'n [12]),
Und gab [13]) i net überall nach,
So hätt' i das Foier am Dach.

---

[1]) Mägde.   [2]) grundlos im Essen.   [3]) Exemplare, Dinger.
[4]) mahnen.   [5]) unlängst.   [6]) Reisig.   [7]) Weizen.   [8]) verbrannt.
[9]) Strecke.   [10]) Mähre.   [11]) capriciert.   [12]) schaffen, comman-
dieren.   [13]) gäbe.

20*

So mag is ja nimmer bleib'n,
Hiazt wird mer die Sach scho zu dumm,
Woaß nimmer a Geld aufzutreib'n,
Wann i a renn umadum.

Und ös, meine Landler[1] und Herrn,
Oes habts ja so leicht umesein[2])!
I bin das stinknortige Stoanberger Bäuerl,
Möcht lieber im Pfefferland sein.

I thua mer halt grad a so denk'n:
Gott wird mer sei Gnad no gwiß schenk'n,
Daß i endli in'n Himml kimm 'nauf,
Nacha lach i die Böbmer[4]) all aus.

(Obermurthal.)

's Ebelbacher Lied.

So lang der Holzknecht Mandl
Noch jodelt drobn im Wald,
So lang der Sens'nhammer
In Ebelbach noch knallt,
So lang der Bräuer Seppl
Noch wackelt mit sein Bauch,
So lang hört si die G'müthlichkeit
In Ebelbach net auf.

Die Straß'n hier in Ebelbach,
Die hom jetzt gar koa G'sicht,
Im Straß'nkoth vasinkt ma schier,
Daß van der Fuß obricht.

[1]) Flachlandbewohner.   [2]) zu leben.   [3]) Bodenbewohner.
— Dies alte Volkslied kehrt in vielen Alpengegenden, so auch im Tirolischen und Salzburgischen in verschiedenen Variationen wieder. Siehe auch: „Süeß, Salzburger Lieder."

Die Bahn, die wollen s' a no baun,
Das ganget uns no o!
Daß b' Juden könnt'n einafahrn,
Aft hätt' mer b' Banda do.

Im Sommer kemment Fremde her
Und geh'n herent spazier'n.
Da is a oaner einag'fahrn,
Der hat vor Hunger g'schrie'n!
Die Damen thoan sich a scho sehr
Mit Feß'n auswatier'n
Und mit die Männer jung und alt
Gar fleißi coquettier'n.

Und oane hat a blachs G'sicht
Mit rother Farb ang'schmiert,
Und oane is so liabli,
So voller Pracht und Zierd;
Am Tag, da hat sie falsche Haar
Und falsche Zähnd a Paar.
Das Mieder is so reizend a,
Wann's nur koa Kautschuk wa!

Hiazt geht das Nest bald unter,
Die G'müthlichkeit is g'fall'n:
Ma hört koan Holzknecht jodel'n,
Ma hört koan Hammer knall'n,
Die Jud'n nehm'n überhand
Herum in unserm Grab'n,
Bis mer wern die Tremml [1] nehm'
Und all sie außischlag'n.

---

[1] Prügel.

Dan grean' Huat mit Federn,
Den derfens' nimmer trag'n,
Hiazt derfens' nur a Kappl
Von Papp'ndeckl hab'n.
A Kappl nur vo Papp'ndeckl,
Obr van Huat vo Stroh,
Das find't ma hier in Ebelbach
Halt heuzutag schon so.*)

(Murthal).

*) Ist jüngeren Ursprungs

5. Schnadahüpfln aus Mixnitz.

Wie soll i denn singa,
Wann i net konn?
Sing i wie die Hühnl,
So peckt[1] mi der Hohn[2]).

„Tschitschipe, tschitschipe!'
Singen die Vögel.
D' Hammerschmied hammern,
San rechte Flegl.

Mei Schatz is a Schmied,
Aber brennt is a nit.
Jetzt lass i ma'hn breana,
Sonst kennt i ihn nit.

Mei Schatz is a Schmied,
Is a so a Prahler,
Er hat net oan Heller,
Aber red von die Thaler.

Der Plampl in Mixnitz
Is a so a Waschl[3]),
Hat d' Gosch'n auf der Seit'n
Wie a Jankätaschl[4]).

Der Plampl in Mixnitz
Is a grantiger Kampl,
Hat a Mutterschaf g'fress'n
Mit sammt dem kloan Lampl.

---

[1]) pickt.   [2]) Hahn.   [3]) Tölpl.   [4]) Rocktasche.

Der Schneider von Rottenbach
Und seine Sihn' [1]
Hamt woll'n b' Gas curier'n,
Doch is sie scho hin.

Steig aufi, steig aufi,
Wo's Bergl hoch is,
Steig eini, steig eini,
Wo's Weinl guat is.

Es traut sich der Wastl net
Eini ins Haus:
Ueber'n Weg is eahm g'rennt —
A Katz mit ar Maus.

Zu dir bin i ganga
Bei Schnee und bei Eis,
Zu dir gehr is nimmer
Du hast mer z'viel Läus.

Zu dir bin is ganga
Bei Wind und bei Schnee,
Zu dir gehr is nimmer
Du hast mer z'viel Flöh.

Hon i a Dindle g'liebt
So a leichte Prax'n [2],
Hiazt hat's van Gotscheber
Mitsammt saner Krax'n [3].

Zwoa scheeweiße Täuberl
Hon 'bußelt und g'nist,
Und i hab ans Dindl
Halt denk'n g'müßt.

Heut bin i guat aufg'legt,
Muaß selba sehr lacha,
Und muaß mer a Liadl
Und a Sprüchl macha.

[1] Söhne.   [2] Ding.   [3] Korb.

Lufti is 's Schmied san,
Wann's Hammerl guat geht,
Wann d' Bierflasch'n allweil
Beim Ambos dasteht.

Der Nazl vo Maxlan
Hat d' Wadel'n voran,
D' Schienbein seint hintn,
So schauts 'n nur an!

Bei uns hat a Köchin
Gar g'sagt heurigs Jahr:
Nach'm Jänner da kimmt
Halt g'wiß Februar.

Ziblzumpferl, ziblzumpferl,
's wird Hozet dös Jahrl,
Der Franzl, die Gretl
Die werd'n a Paarl.

Den Stiegl¹), wo i g'stieg'n,
Den steig i nimmer,
Das Mensch, was i g'liebt hon,
Das krieg i nimmer.

Herr Vad'r, Frau Muader,
Oan oanzige Bitt!
A kloans Glasl Branntwein,
Mi beißt 's in der Mitt!

Kimst allweil zan Kühstall,
Aber niemals zu mia,
Kimmst allweil als Bsoffna,
Als Niachtna kimmst nia.

Was hat denn der Franzl?
Er loahnt si bald an,
Bald steht er, bald liegt er,
Der g'spoaßige Mann!

—————
¹) Stiege, Steig.

Der Bäck is valiabt,
Der hat, i hab's g'spürt,
Anstatt van Tampfl [1]
Rahm eini g'rührt.

Mei Dindl heißt Cilli,
Mit'n Bufseln is 's willi,
Gab's Goschl [2] mit a,
Wann's zum ofchraub'n wa.

Hab [3] is mei Alte,
Weil i net hoamgeh i,
Hat Tropf'n im G'sicht,
O vergiß mei nicht!

Bins a lustener Bua,
A Lebzelterg'fell,
Möcht heirat'n 's Deindl
Gleich af der Stell.

Af der Alma gibt's Kalma
Und g'schekete Küah
Und schwarzaugete Dindl,
Aber kriegt hab i s' nia

's Mensch hat a Goldhaub'n
Und a weiß Kload,
Beim Haus waxt der Hollrixtax
Unter der Pfoat.

Wann die Bauern gern tanz'n,
Da seind guade Jahr',
's thuat der Haber schön hudeln [4]
Und die Weiber wern schwar.

J hab a kloans Häusl
Und bau alle Jahrl
Sex Erdäpfl an
Und Krautköpf a Paarl.

---

[1] Sauerteig. [2] Mündchen. [3] habsein=zürnen. [4] gedeihen.

Bins a luftiger Bua,
Bins her von Preußen,
Mach Senf'n und Sich'ln
Und Tangleifen.

Koa Mühl ohne Staub,
Koa Bam ohne Laub,
Koa Winter ohne Schnee,
Koa Dindl ohne — Flöh!

Da brobn auf der Alm
Geht's Schaßerl daher,
Hat 'n Kropf af der Seit'n,
Schaut kreuzlufti her.

Pfüat Gott, liebe Alma,
Die Bleamlan geh'n aus,
Hiaßt kimmt halt der Winter,
Hiaßt geh mas nach Haus.

Der Bauer, der Waschl [1]),
Und der Hammerschreiber
Hom mers Mensch net vergönnt,
Die Hungerleider!

Mei Dindl hoaßt Referl,
Der Nam hat ma g'fall'n,
Den laß i mer aufi
Af's Bettftattl mahl'n.

Mei Dindl, die Franzl,
Hat schneeweiße Zahndl,
Zwoa Röferl im G'ficht,
Aber treu is fi nicht.

Bins a luftiga Fuhrmann,
Was fpann' i denn an?
Zwoa Rapperl in b' Deir'l
Und Für'l voran!

---

[1]) Tropf.

Fuchspaff'n thur i net,
'8 is mer zu kalt,
Da könnt ma dafrier'n
Und wern ftoanalt.

Mei Boda hat g'fagt:
„Geh' acern hintaus!"
Hab Unrecht vaftand'n,
Geh' alle Nacht aus.

Hopafah, hört's auf mi,
Hopfafchneid, prügelt's mi,
Häts mer fchon längft a than,
Könnts mer net an.

Hiazt hat oaner g'fung'n,
Aber ganz verriff'n,
Wann er no amal fingt,
Wird er außig'fchmiff'n.

6. Obermurthaler G'stanzl.

Z'was sollt' denn i trauern
In 'n ledig'n Stand,
Lass mer solchne Leut trauern,
Die zammg'heirat hant.

's is ma nix liaber,
Als mei Kam'rad
Aba das g'freut mi net,
Dass er mei Dindl hat.

Eh' dass i mei Dindl
Oan andern Buam ließ,
Eh' führ i 's in 'n Wald,
Und vergrab es in 'n Mieß ¹).

Dindle, du jung's,
Du Lampal, du frumm's,
Dindle, du kloan's,
Geh', tand'l ma oans!

's Dindl is a Nahb'rin,
Dös is vodrad,
Hat ma hoamli mei Herz
In ihr Miader eing'naht.

's Dindl hat a Maul,
Dös lacht halt damit,
's konnt oan a beiß'n,
Dös thuat s' aber nit.

¹) Moos.

Herzig schön's Dindl,
Du Grusal ¹), du kloan's,
Möchst halt gern heirath'n,
Geld ham mer koans.

's' Dindle is jung,
Und i a net alt,
Wax'n z'samm' auf,
Wie Gräßing ²) im Wald.

Die Gräßing im Wald,
Die steh'n auf der Wurz'n,
A brennhoaße Liab
Ham d' Leut', die kurz'n.

's Dindle is hab auf mi,
I hab eahm nix than,
Jetzt möcht's mi glei wieder,
Schau's nimmer an.

---

¹) Schatzerl.   ²) Fichtenbäumchen.

7. G'sangl von der Murauer Gegend.

In Murau, in Murau
Da sand unfra zween,
Baldst [1]) den oan niederschlagst,
Bleibt der oan steh'n.

I bin a jungs Bürschal,
Frisch von Geblüat,
Hab koan Aberl in 'n Leib,
Das si net riab [2]).

Und hätt' i oan Aberl,
Das sie net riad,
So schneidet i 's außa,
Dass 's mi net iad [3]).

Die Murauer Bub'n
Seind eahner Geld wert,
Im Sommer im Schatt'n,
Im Winter am Herd.

Sollst a Kellnerin sein,
Schenkst mer koan Wein?
Is der Nam' umasist [4]),
Dass d' a Kellnerin bist.

---

[1]) sobald.   [2]) rührt.   [3]) irremacht.   [4]) umsonst.

A Treu' und a Knödl,
Und a Treu' und a Wurst,
Der a Kellnerin liabt,
Der leid't nie oan Durst.

Auf und auf schlampert[1]),
Spottschlechte Wadel,
Und Arm' wie die Zaunsteck'n,
Dirn, solche Tadel!

Wodrab bin i g'wachf'n,
Wodrab, wir a Sal[2]),
I lass b' Leut plaudern
Und denk ma mein Dal[3]).

Mei Wad'r is a Stiglitz,
Mei Muada a Zeisl,
Mei Wad'r springt eini,
Prügelt b' Muada im Häusl.

Lusti' Buam san ma
Mir Oesterreicha,
Ham ma koa Nickl,
Ham ma Kupferkreuza.

I und mei Wad'r
Ham's Häusl vakauft,
Net zwegn der Noth,
Aba 's Geld ham ma 'braucht.

Des Landla, ös Landla,
Des Naf'ndrucka,
Wann b' Murauer keman,
Müafst's eng vabucka.

Geh'nt d' Murauer aus,
So hoaßt's glei: „aha,
Ruckts a weng af d' Seit'n
Seind d' Murauer da."

D' Liab hat s' mer aufg'sagt,
Da drauß'n beim Zaun,
I hab schon an andre,
Hiazt wird sie schau'n!

8. Tanzlieder.

Der erste (Tänzer):
's Tanz'n ist lusti,
Wia muaß dabei schwitz'n,
Die andern wohl a glei
Beim Neb'nsitz'n.

Der zweite:
Hiazt hat oaner g'sung'n,
Weit hat ma's g'hört,
Unsern Schuster sei Gas,
Die hat dabei g'röhrt[1]).

Der erste:
Hab' glaubt, wär an Antwort,
A schneidige, krieg'n,
Aber der braucht a Woch'n
Zan Tanzl studier'n.

Der zweite:
Hiazt hat oaner g'sungen,
Is steck'n blieb'n,
Hätt i oan Prügl g'habt,
Hätt ihn nachetrieb'n.

---

[1]) jämmerlich gemeckert.

Ein Dritter:
Das Tanzel aufgeb'n
Das g'fallt mer gar wohl,
I hab in der Truh'n
A Schachterle voll.

Ein Vierter:
Hiazt hat oaner g'sung'n,
Er laſs lieber bleim¹),
Wann er no amal ſingt,
Geht eahm 's G'ſicht aus'm Leim.

Ein Spielmann:
Glei alleweil prahl'n
Und koan Tanz nia zahl'n
Hoaßt nix af der Welt,
Ruckt's raus mit'm Geld.

Eine Tänzerin:
A Bua, der nit buſſelt,
Nit halst und nit ſchnalzt,
Der is wie a Bäu'rin,
Die d' Supp'n net ſchmalzt.

Weitere Tänzerin:
3'nachſt biſt dahoam blieb'n
Zwegen oan kloan Reg'n,
I brauch di, wann's ſchön is,
Ja a nimmer z'ſeg'n.

Deren Tänzer:
Und ob du mi gern haſt,
Oder nit magſt,
Es is mir ganz gleich,
Was d' mir a ſagſt.

_____
¹) bleiben.

— 324 —

Weitere Tänzerin:
Tanz aufi, tanz obi,
Du bist mer nit z'wider,
I sag dir's, i sag dir's:
Mit dir tanz i wieder.

Ihr Tänzer:
Abece Zweschkenkern,
Das Dirndle hätt' mi gern,
Abece Gletz'nbirn,
Sollst mi nit krieg'n.

Druck:
Customized Business Services GmbH
im Auftrag der KNV-Gruppe
Ferdinand-Jühlke-Str. 7
99095 Erfurt